안쌤의 영재교육원 영재학급 관찰추천제 대비

창의적 문제해결력 수학

매스티안

구성과 특징

STEP1 문제인식

창의적 문제해결력 특강의 첫 번째 단계로, 주제에 대한 탐구 문제를 인식하는 단계입니다.
학생들이 탐구하기에 좋은 주제, 최근 이슈가 되고 있는 주제, 새로운 아이디어로 창의성을 기르는 주제 등 다양한 주제로 구성하였습니다.

로봇 공학자가 되어보자

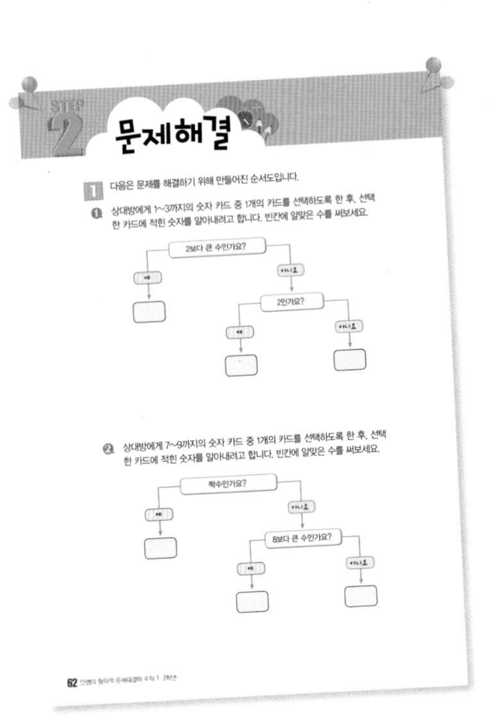

STEP2 문제해결

창의적 문제해결력 특강의 두 번째 단계로, 문제로 인식한 부분을 해결하기 위한 단계입니다.
문제해결을 위한 수학적 탐구를 하고, 수학적 해결 방법을 세우고 탐구계획서를 작성하도록 구성하였습니다. 또한 탐구 수행 및 결과를 통해 창의적 문제해결력을 향상시킬 수 있습니다.

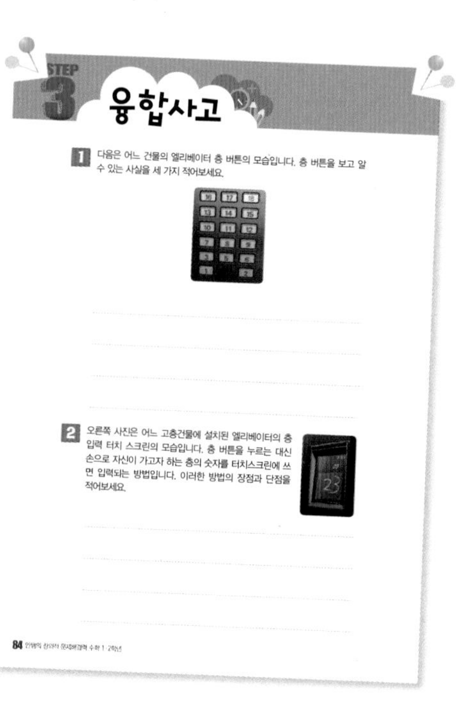

STEP3 융합사고

창의적 문제해결력 특강의 세 번째 단계로, 문제해결을 위한 탐구 수행 후 보완할 부분을 찾는 문제, 탐구 결과를 더 향상시키는 방법을 찾는 문제, 문제해결에 활용한 수학 개념을 실생활에 적용해 보거나 더 연구하고 싶은 부분을 융합적으로 사고할 수 있는 문제로 구성하였습니다.

탐구보고서

창의적 문제해결력 특강의 네 번째 단계로, 앞에서 진행한 문제인식, 문제해결, 융합사고의 내용을 탐구보고서로 작성하는 단계입니다. STEP1 문제인식은 탐구 주제의 내용으로, STEP2 문제해결은 탐구 문제, 탐구 방법, 탐구 결과 및 결론의 내용으로, STEP3 융합사고는 탐구에 대한 나의 의견(고민, 아쉬운 점, 느낀 점, 새로 알게 된 점, 더 연구하고 싶은 점)의 내용으로 작성할 수 있도록 구성하였습니다.

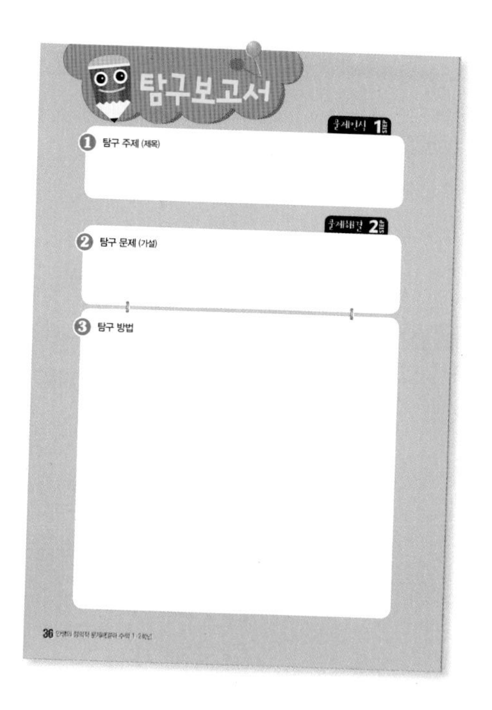
탐구보고서

문제인식 1 STEP

❶ 탐구 주제 (제목)

문제해결 2 STEP

❷ 탐구 문제 (가설)

❸ 탐구 방법

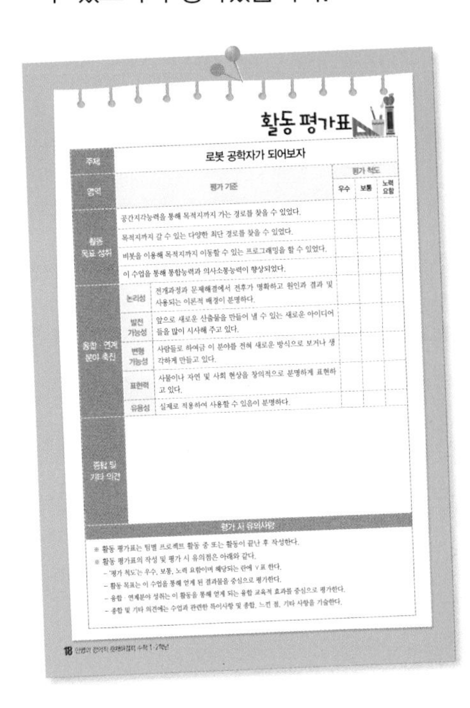
활동 평가표

주제	로봇 공학자가 되어보자				
영역	평가 기준		평가 척도		
			우수	보통	노력 요함
활동 목표 성취	공간지각능력을 통해 목적지까지 가는 경로를 찾을 수 있었다.				
	목적지까지 갈 수 있는 다양한 최단 경로를 찾을 수 있었다.				
	비봇을 이용해 목적지까지 이동할 수 있는 프로그래밍을 할 수 있었다.				
	이 수업을 통해 통합능력과 의사소통능력이 향상되었다.				
융합 · 연계 분야 촉진	논리성	전개과정과 문제해결에서 전후가 명확하고 원인과 결과 및 사용되는 이론적 배경이 분명하다.			
	발전 가능성	앞으로 새로운 산출물을 만들어 낼 수 있는 새로운 아이디어들을 많이 시사해 주고 있다.			
	변형 가능성	사람들로 하여금 이 분야를 전혀 새로운 방식으로 보거나 생각하게 만들고 있다.			
	표현력	사물이나 자연 및 사회 현상을 창의적으로 분명하게 표현하고 있다.			
	유용성	실제로 적용하여 사용할 수 있음이 분명하다.			
종합 및 기타 의견					

평가 시 유의사항

※ 활동 평가표는 팀별 프로젝트 활동 중 또는 활동이 끝난 후 작성한다.
※ 활동 평가표의 작성 및 평가 시 유의점은 아래와 같다.
- '평가 척도'는 우수, 보통, 노력 요함이며 해당되는 란에 V표 한다.
- 활동 목표는 이 수업을 통해 얻게 된 결과물을 중심으로 평가한다.
- 융합 · 연계분야 성취는 이 활동을 통해 얻게 되는 융합 교육적 효과를 중심으로 평가한다.
- 종합 및 기타 의견에는 수업과 관련한 특이사항 및 종합, 느낀 점, 기타 사항을 기술한다.

평가하기

창의적 문제해결력 특강의 다섯 번째 단계로, 탐구보고서 작성 및 발표 후 탐구 활동을 평가하는 단계입니다. 활동 목표 성취에 대한 평가, 활동 측정 요소에 대한 평가, 종합 및 기타 의견을 작성하여 스스로 창의적 문제해결력 특강을 통해 향상된 부분과 부족한 부분을 점검하도록 구성하였습니다.

부록 | 안쌤이 추천하는 초등 수학 대회 안내

다양한 수학 대회들이 생기고 있어서 어떤 대회를 참가해야할지 고민하시는 분들을 위해 안쌤이 추천하는 초등학교 수학 대회를 정리했습니다. 또한 이 수학 대회들을 통해 창의적 문제해결력 특강으로 향상된 능력을 확인하고 점검할 수 있습니다. 영재산출물(창의적 산출물)로 활용할 수 있는 대회, 학생기록부에 기록 가능한 대회, 영재교육원 문제 유형과 비슷한 대회를 소개하고 기출 문제 및 출제 문제 유형을 같이 수록했습니다.

부록

안쌤이 추천하는
초등 수학 대회

[연간 진행되는 수학 대회 중 주요 대회 리스트]

4월 전국 초등수학 창의사고력대회
- 서울교육대학교 주최

9월 전국 초등수학 창의사고력대회
- 서울교육대학교 주최

10월 한국영재올림피아드
- 대교 주최
(한국수학교육학회, 한국과학교육학회 출제)

11월 영재교육 창의적 산출물대회

목차

융합인재교육 STEAM 이란?

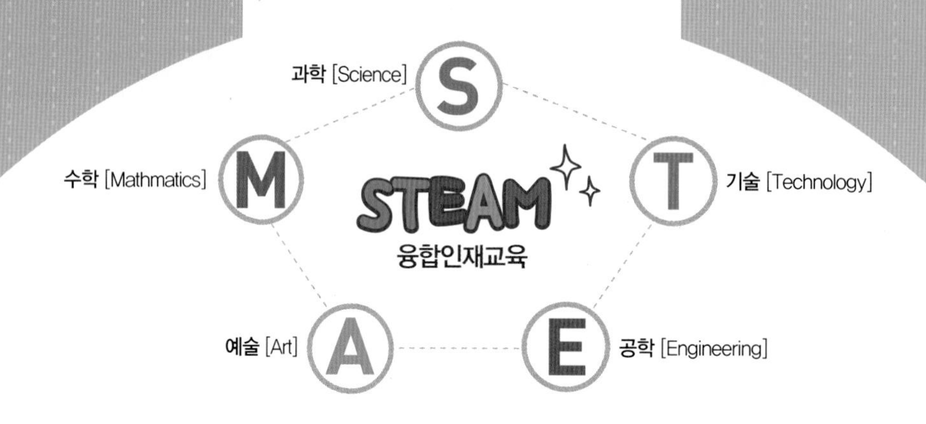

· 수학, 과학, 기술, 공학 간 상호 연계성 고려, 학문 간 공통 핵심 요소 중심으로 교육
· 예술적 소양을 함양하고 타 학문에 대한 이해가 깊은 미래형 인재 양성으로 교육
[자료 출처 : 한국과학창의재단]

융합인재교육은 과학기술공학과 관련된 다양한 분야의 융합적 지식, 과정, 본성에 대한 흥미와 이해를 높여 창의적이고 종합적으로 문제를 해결할 수 있는 융합적 소양(STEAM Literacy)를 갖춘 인재를 양성하는 교육이라고 정의하고 있다. 학습자가 실제 문제 상황을 다양하게 설계하고 해결하는 과정을 통해 새로운 개념을 생성하고, 창의적으로 설계하며, 더불어 사는 인성, 즉 사회적 감성을 발달하도록 하는 것이다.
이러한 융합인재교육(STEAM)의 목적은 다음과 같이 정리할 수 있다.

- 빠르게 변화하는 사회 변화의 적응력을 높이는 것이다.
- 개인의 창의인성, 지성과 감성의 균형 있는 발달을 돕는 것이다.
- 타인을 배려하고 협력하며, 소통하는 능력을 함양하는 것이다.
- 과학 효능감과 자신감, 과학에 대한 흥미 등을 증진시킴으로써 과학 학습에 대한 동기 유발을 높이는 것이다.
- 융합적 지식 및 과정의 중요성을 인식시키는 것이다.
- 학습자 중심의 수평적 융합적 교육으로 전환하는 것이다.
- 합리적이고 다양성을 인정하는 문화 형성에 기여하는 것이다.
- 대중의 과학화를 기반으로 한 합리적인 사회를 구성하는 데 기여하는 것이다.
- 창조적 협력 인재를 양성하는 것이다.
- 수학, 과학, 기술, 공학 간 상호 연계성 고려, 학문 간 공통 핵심 요소 중심으로 교육
- 예술적 소양을 함양하고 타 학문에 대한 이해가 깊은 미래형 인재 양성으로 교육

영재교육원 대비

안쌤의 창의적 문제해결력

수학 1

1·2
학년

문제인식

로봇 공학자가 되어보자

'누군가 내가 해야 할 일을 대신해 준다면 얼마나 좋을까?'라고 생각해 본 적이 있을 것이다. 누구나 한 번 쯤 해보았던 이런 생각 때문에 로봇이 탄생하게 되었다. 로봇은 '일하다'라는 뜻을 가진 체코어 로보타(robota)에서 유래된 말로, 보통 로봇은 인간을 대신해 일을 하거나 인간에게 도움을 주며 자동으로 움직이는 기계장치를 의미한다.

로봇 청소기는 인간의 일을 대신해 주는 로봇 중 우리가 가장 쉽게 만나볼 수 있는 로봇이다. 로봇 청소기가 청소하는 모습을 자세히 살펴보자. 벽과 같은 큰 장애물을 만나면 피해 가고 문틀과 같은 낮은 장애물은 넘어가기도 한다. 또 낭떠러지를 만나면 방향을 바꾸어 피해 간다. 이렇게 로봇 청소기가 스스로 이동하며 청소를 할 수 있는 이유는 장애물을 만났을 때 어떻게 작동할지 미리 정해두었기 때문이다. 우리도 로봇 공학자가 되어 로봇 청소기의 움직임을 정하는 프로그램을 만들어 보면 어떨까?

로봇청소기

1 방바닥을 빈틈없이 청소하는 로봇 청소기를 만들려고 합니다. 청소기는 모든 칸을 지나야 하며 ①에서 출발하여 순서대로 모든 숫자를 지나 다시 ①에 도착해야 하며, ↑↓←→ 로만 움직일 수 있습니다. 로봇 청소기가 지나가는 길을 표시해보세요.

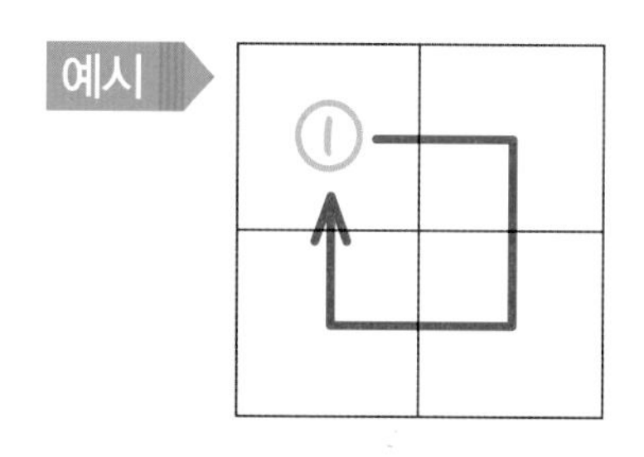

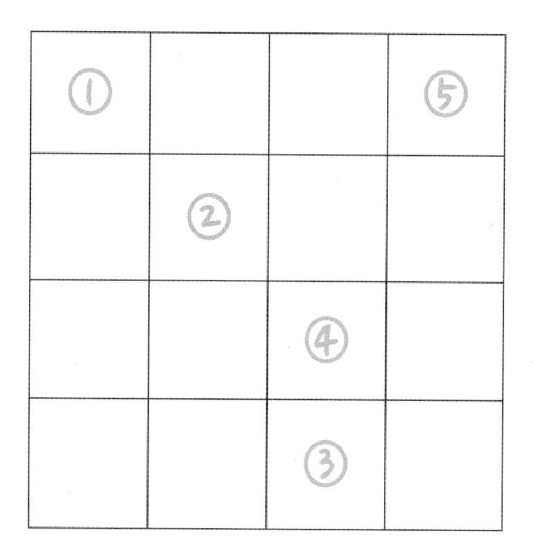

2 방청소를 하던 로봇 청소기가 스스로 충전기를 찾아가려고 합니다. ①부터 ⑦까지 순서대로 숫자들을 지나야 하며, ↑↓←→ 로만 움직일 수 있습니다. 충전기에 도착하는 길을 표시해보세요.

청소기	①	②	③	④
①	②	②	④	⑥
③	②	③	⑤	②
④	⑤	⑤	⑥	⑦
⑤	⑦	⑥	⑤	충전기

STEP 2

문제해결

1 다음은 비봇(bee-bot)에 대한 설명입니다.

비봇(bee-bot)은 로봇이 어떻게 움직이는지 그 원리를 직접 체험해 볼 수 있는 벌 모양의 작은 로봇이다. 비봇의 등에 있는 버튼을 누르면 누른 버튼의 순서에 따라 비봇이 스스로 움직인다. 비봇이 스스로 움직일 수 있도록 버튼을 누르는 것을 프로그래밍이라 하고, 누른 버튼과 순서는 비봇을 움직이는 프로그램이라 할 수 있다.
각 버튼을 눌렀을 때, 비봇의 움직임은 다음과 같다.

- ↑ 버튼 : 앞으로 1칸 이동
- ↓ 버튼 : 뒤로 1칸 이동
- ↶ 버튼 : 왼쪽으로 돌기
- ↷ 버튼 : 오른쪽으로 돌기

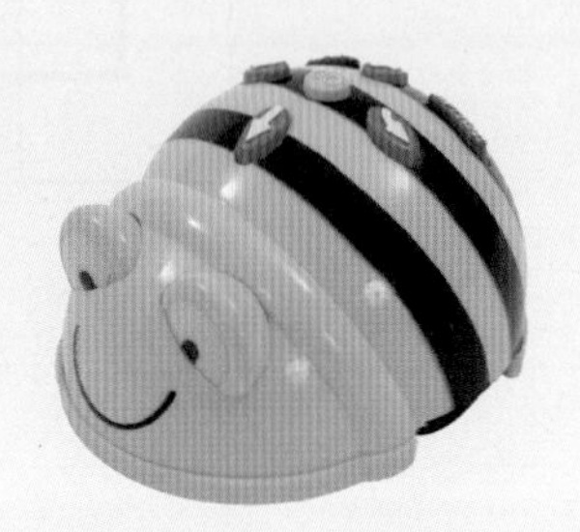

비봇이 화살표를 따라 B까지 가는 프로그램을 완성하려면 다음과 같은 버튼을 순서대로 눌러야 합니다.

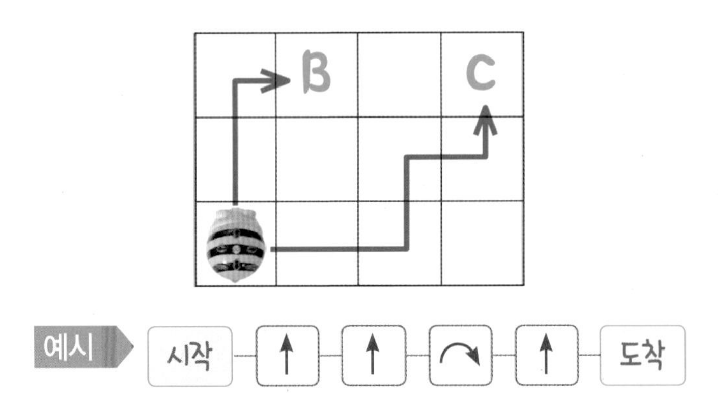

예시 시작 - ↑ - ↑ - ↷ - ↑ - 도착

비봇이 화살표를 따라 C까지 가는 프로그램을 완성하려면 어떤 버튼을 눌러야 하는지 다음 빈칸을 완성하세요.

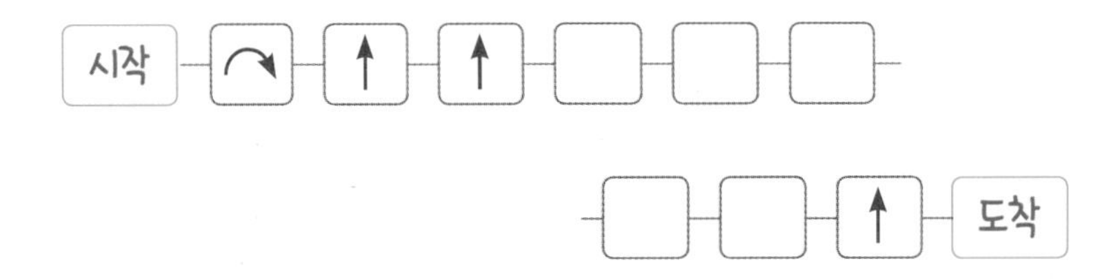

2 비봇을 A까지 이동시키려고 합니다. A까지 가는 가장 빠른 길이 몇 가지인지 구하세요.

1 A까지 가는 가장 빠른 길이 몇 가지인지 구하세요.

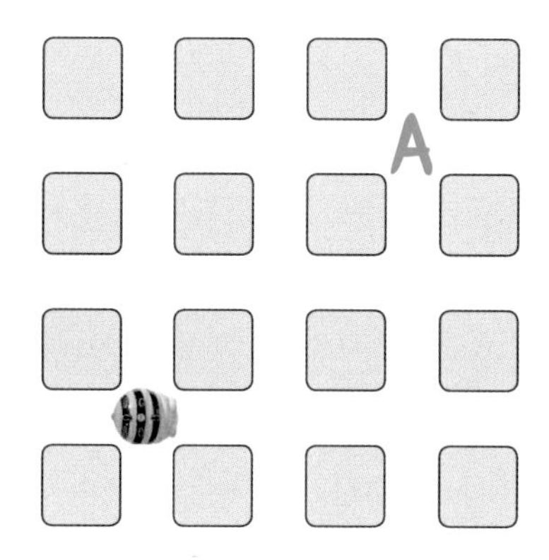

2 비봇이 **1** 에서 찾은 모든 길을 따라 A까지 갈 수 있도록 프로그래밍 하세요. (만약 **1** 에서 찾은 길이 4가지라면 길을 따라 A까지 가는 4가지 방법을 모두 프로그래밍 합니다.)

융합사고

1 다음은 로봇 청소기에 대한 내용입니다.

▲ 최초의 로봇 청소기

로봇 청소기는 장애물이나 낭떠러지를 인식하여 스스로 작동하는 지능형 로봇의 한 종류로 인간을 대신해 청소를 하는 가정용 로봇이다. 1990년대부터 발전하기 시작하여 2001년 스웨덴의 가전기업인 일렉트로룩스가 처음 판매를 시작하였다. 초기에는 인간을 대신해 스스로 청소하는 신기한 모습에 많은 사람들이 관심을 가졌지만 시끄러운 소리와 부족한 청소 능력 때문에 외면 받았다. 그러나 기술의 발전과 여가 시간을 늘리려는 사람들이 늘어나면서 다시 사랑받고 있다. 최근에는 먼지를 빨아들이는 기능뿐만 아니라 자동 충전 기능, 물걸레 기능, 예약 청소 기능 등의 다양한 기능이 추가되어 많은 가정에서 사용되고 있다.

다음은 두 대의 로봇 청소기가 청소를 하며 이동하는 길을 나타낸 그림입니다. 두 로봇 청소기 중 어떤 로봇 청소기가 청소에 더 효과적인지 이유와 함께 적어보세요.

▲ A 청소기

▲ B 청소기

2 현재 판매되고 있는 로봇 청소기는 대부분 동그란 원반 모양입니다. 동그란 모양의 로봇 청소기는 방의 구석진 부분이나 가구의 튀어나온 부분을 잘 청소할 수 없다는 단점이 있습니다. 이러한 단점을 해결할 수 있는 로봇 청소기의 모양을 디자인하고 원리를 적어보세요.

▲ 다양한 로봇 청소기

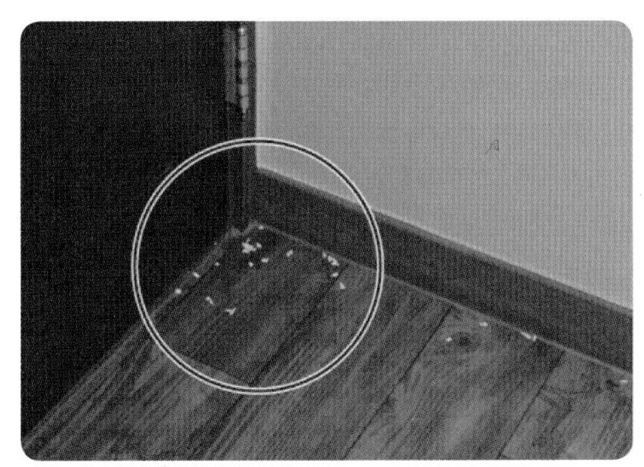

▲ 로봇 청소기가 청소하지 못한 부분

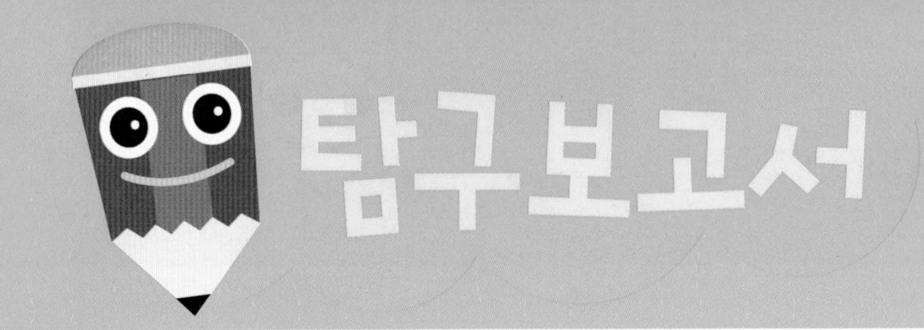

문제인식 1 STEP

❶ 탐구 주제 (제목)

로봇 공학자가 되어보자.

문제해결 2 STEP

❷ 탐구 문제 (가설)

비봇(bee-bot)을 이용해 로봇이 스스로 움직일 수 있도록 프로그래밍 해보자.

❸ 탐구 방법

① 쉽게 볼 수 있는 로봇 청소기를 보고 로봇 청소기가 빈틈없이 방을 청소하거나 빠르게 충전기를 찾아갈 수 있는 경로를 찾아본다.

② 로봇이 움직이는 원리를 간단히 체험해 볼 수 있는 비봇이 움직이는 방법을 알아본다.

- 비봇의 등에 있는 버튼을 누르면 누른 버튼의 순서에 따라 비봇이 스스로 움직인다.
- 각 버튼을 눌렀을 때, 비봇의 움직임은 다음과 같다.

> • ↑ 버튼 : 앞으로 1칸 이동
> • ↓ 버튼 : 뒤로 1칸 이동
> • ↶ 버튼 : 왼쪽으로 돌기
> • ↷ 버튼 : 오른쪽으로 돌기

- 비봇이 스스로 움직일 수 있도록 누른 버튼과 순서는 비봇을 움직이는 프로그램이고, 버튼을 누르는 순서를 정하는 것은 프로그래밍이다.

③ 원하는 목적지까지 비봇 스스로 이동할 수 있도록 프로그래밍 해본다.

- 비봇이 B와 C까지 움직일 수 있도록 프로그래밍하면 다음과 같다.

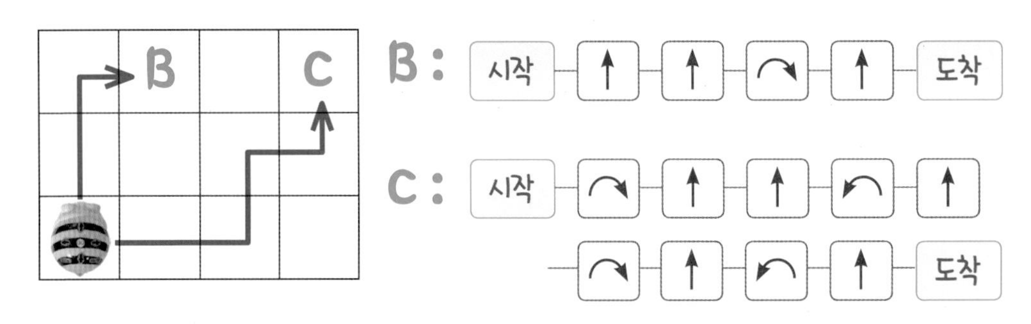

4 탐구 결과 및 결론

① 비봇이 장애물을 피해 이동하는 가장 짧은 거리로 이동할 수 있는 방법(경로)를 모두 찾는다.

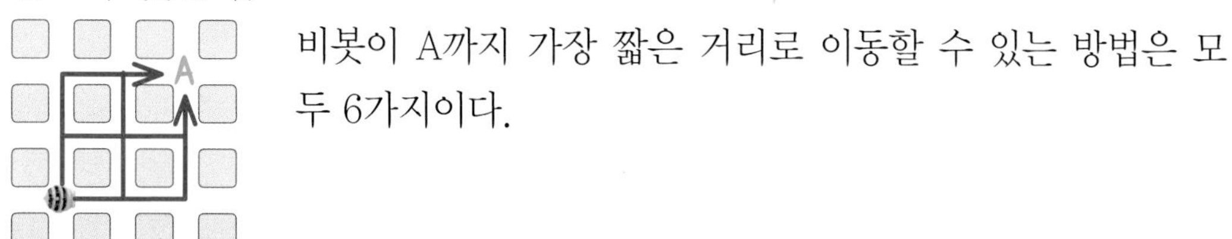

비봇이 A까지 가장 짧은 거리로 이동할 수 있는 방법은 모두 6가지이다.

② 비봇이 A까지 가장 짧은 거리로 이동할 수 있로록 프로그래밍 한다.

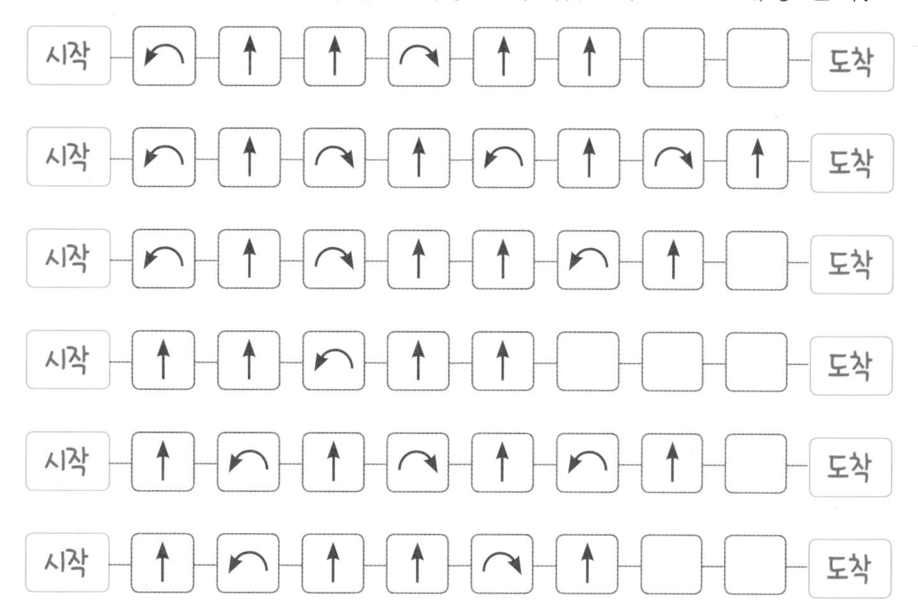

③ 비봇을 이용하거나 비봇의 움직임을 체험해 볼 수 있는 프로그램을 다운받아 자신의 프로그래밍이 잘 되었는지 확인한다.

융합사고 3 STEP

5 탐구에 대한 나의 의견 (고민, 아쉬운 점, 새로 알게 된 점, 더 연구하고 싶은 점)

1. 로봇 청소기와 같은 지능형 로봇이 스스로 움직이는 원리를 알 수 있었다. 스스로 움직이는 로봇의 원리가 매우 어려울 것으로 생각되었지만 비봇을 통해 쉽게 이해할 수 있었다.
2. 장애물을 피해 가장 짧은 거리로 이동할 수 있는 방법(경로)를 찾는 방법을 알 수 있었다.
3. 로봇 청소기가 스스로 움직이며 청소를 할 때, 어떤 방법으로 움직이는 것이 더 효과적이고 깨끗하게 청소할 수 있는지 알아보고 싶다.

문제인식 1 STEP

1 탐구 주제 (제목)

문제해결 2 STEP

2 탐구 문제 (가설)

3 탐구 방법

④ 탐구 결과 및 결론

융합사고 3 STEP

⑤ 탐구에 대한 나의 의견 (고민, 아쉬운 점, 새로 알게 된 점, 더 연구하고 싶은 점)

활동 평가표

<table>
<tr><td>주제</td><td colspan="5">로봇 공학자가 되어보자</td></tr>
<tr><td rowspan="2">영역</td><td colspan="2" rowspan="2">평가 기준</td><td colspan="3">평가 척도</td></tr>
<tr><td>우수</td><td>보통</td><td>노력 요함</td></tr>
<tr><td rowspan="4">활동 목표 성취</td><td colspan="2">공간지각능력을 통해 목적지까지 가는 경로를 찾을 수 있었다.</td><td></td><td></td><td></td></tr>
<tr><td colspan="2">목적지까지 갈 수 있는 다양한 최단 경로를 찾을 수 있었다.</td><td></td><td></td><td></td></tr>
<tr><td colspan="2">비봇을 이용해 목적지까지 이동할 수 있는 프로그래밍을 할 수 있었다.</td><td></td><td></td><td></td></tr>
<tr><td colspan="2">이 수업을 통해 통합능력과 의사소통능력이 향상되었다.</td><td></td><td></td><td></td></tr>
<tr><td rowspan="5">융합 · 연계 분야 촉진</td><td>논리성</td><td>전개과정과 문제해결에서 전후가 명확하고 원인과 결과 및 사용되는 이론적 배경이 분명하다.</td><td></td><td></td><td></td></tr>
<tr><td>발전 가능성</td><td>앞으로 새로운 산출물을 만들어 낼 수 있는 새로운 아이디어들을 많이 시사해 주고 있다.</td><td></td><td></td><td></td></tr>
<tr><td>변형 가능성</td><td>사람들로 하여금 이 분야를 전혀 새로운 방식으로 보거나 생각하게 만들고 있다.</td><td></td><td></td><td></td></tr>
<tr><td>표현력</td><td>사물이나 자연 및 사회 현상을 창의적으로 분명하게 표현하고 있다.</td><td></td><td></td><td></td></tr>
<tr><td>유용성</td><td>실제로 적용하여 사용할 수 있음이 분명하다.</td><td></td><td></td><td></td></tr>
<tr><td>종합 및 기타 의견</td><td colspan="5"></td></tr>
</table>

평가 시 유의사항

※ 활동 평가표는 팀별 프로젝트 활동 중 또는 활동이 끝난 후 작성한다.

※ 활동 평가표의 작성 및 평가 시 유의점은 아래와 같다.

- '평가 척도'는 우수, 보통, 노력 요함이며 해당되는 란에 ∨표 한다.
- 활동 목표는 이 수업을 통해 얻게 된 결과물을 중심으로 평가한다.
- 융합 · 연계분야 성취는 이 활동을 통해 얻게 되는 융합 교육적 효과를 중심으로 평가한다.
- 종합 및 기타 의견에는 수업과 관련한 특이사항 및 종합, 느낀 점, 기타 사항을 기술한다.

영재교육원 대비

안쌤의 창의적 문제해결력

수학 2

1·2 학년

STEP 1

문제인식

수평을 이용한 모빌 만들기

태어난지 얼마 되지 않은 아기의 방에서는 쉽게 모빌을 볼 수 있다. 어린 아기들은 움직이는 모빌을 바라보며 시력이 발달하고, 물체를 집중해 바라보게 되므로 집중력을 키우는 데에도 도움이 된다고 한다.

이러한 모빌을 가장 먼저 발명한 사람은 미국의 조각가인 알렉산더 칼더이다. 미술가의 집안에서 태어난 칼더는 대학에서 공학을 전공하였지만 결국 조각가가 되었다. 이후 '움직이는 조각'이라고 불리는 모빌을 만들었고, 움직이는 미술의 선구자가 되었다.

모빌에 물체를 매달고 아름답게 표현하기 위해서는 균형을 잘 맞추어야 한다. 어느 쪽으로도 기울어지지 않도록 만들기 위해서는 모빌에 매다는 물체의 무게를 잘 비교해야 한다. 물체의 무게를 비교하고 물체를 적절히 배치하여 아름다운 모빌을 만들어보자.

모빌

1 시소 위에 무게가 같은 두 물체를 올려 균형을 맞추려고 합니다. 왼쪽 세번째 칸에 물체를 올렸을 때 시소가 수평을 이루게 하려면 다른 하나의 물체를 어느 곳에 두어야 하는지 구하고 이유를 적어보세요.

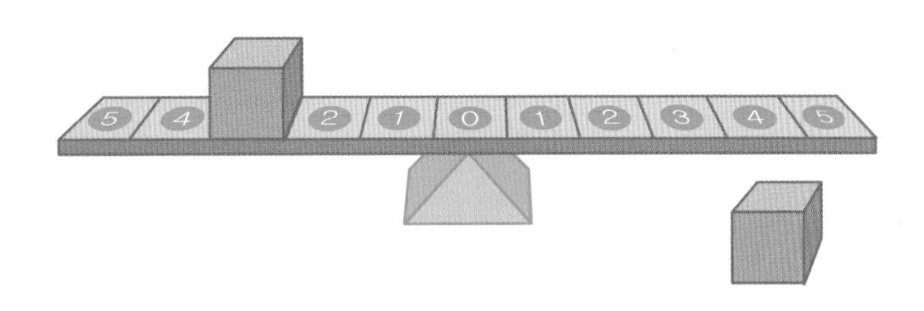

2 무게를 알 수 없는 두 물체를 받침대로부터 같은 거리에 올려 두었더니 그림과 같이 한쪽으로 기울었습니다. 물체 (가)를 어느 방향으로 옮겨야 수평을 이룰 수 있을지 적어보세요.

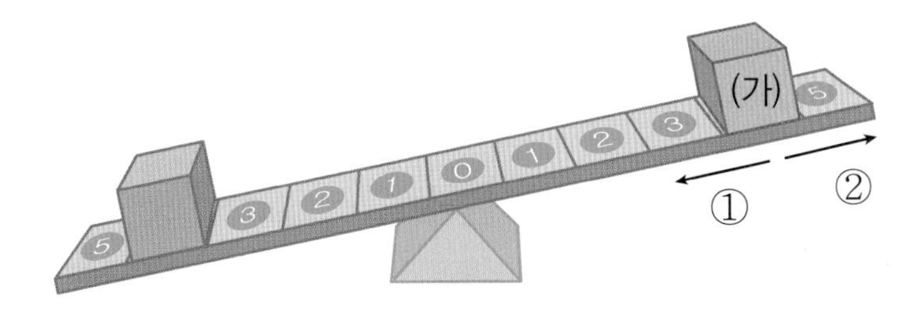

STEP 2

문제해결

1 보기 와 같이 무게가 같은 3개의 물체를 다음과 같이 막대에 매달면 수평을 이룬다고 합니다.

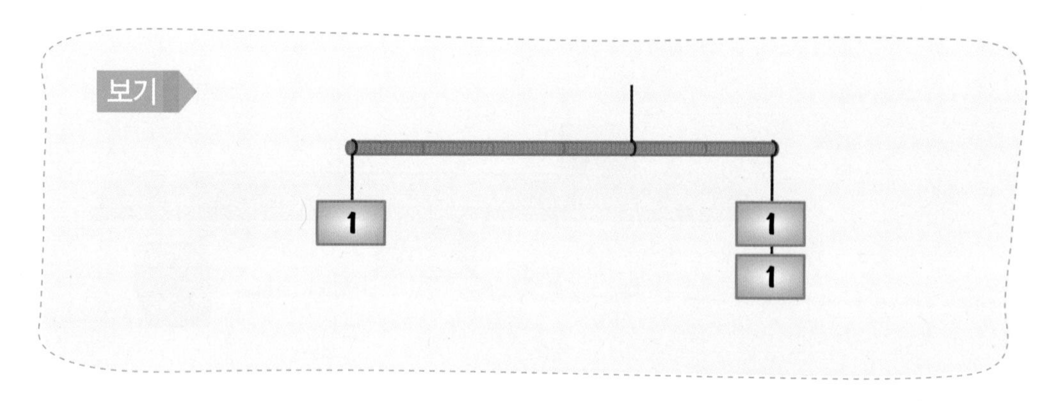

무게가 각각 다른 물체를 막대에 매달아 수평을 이룰 수 있는 방법을 그림으로 그리고 그 방법을 적어보세요. (물체에 쓰여 진 숫자는 그 물체의 무게입니다.)

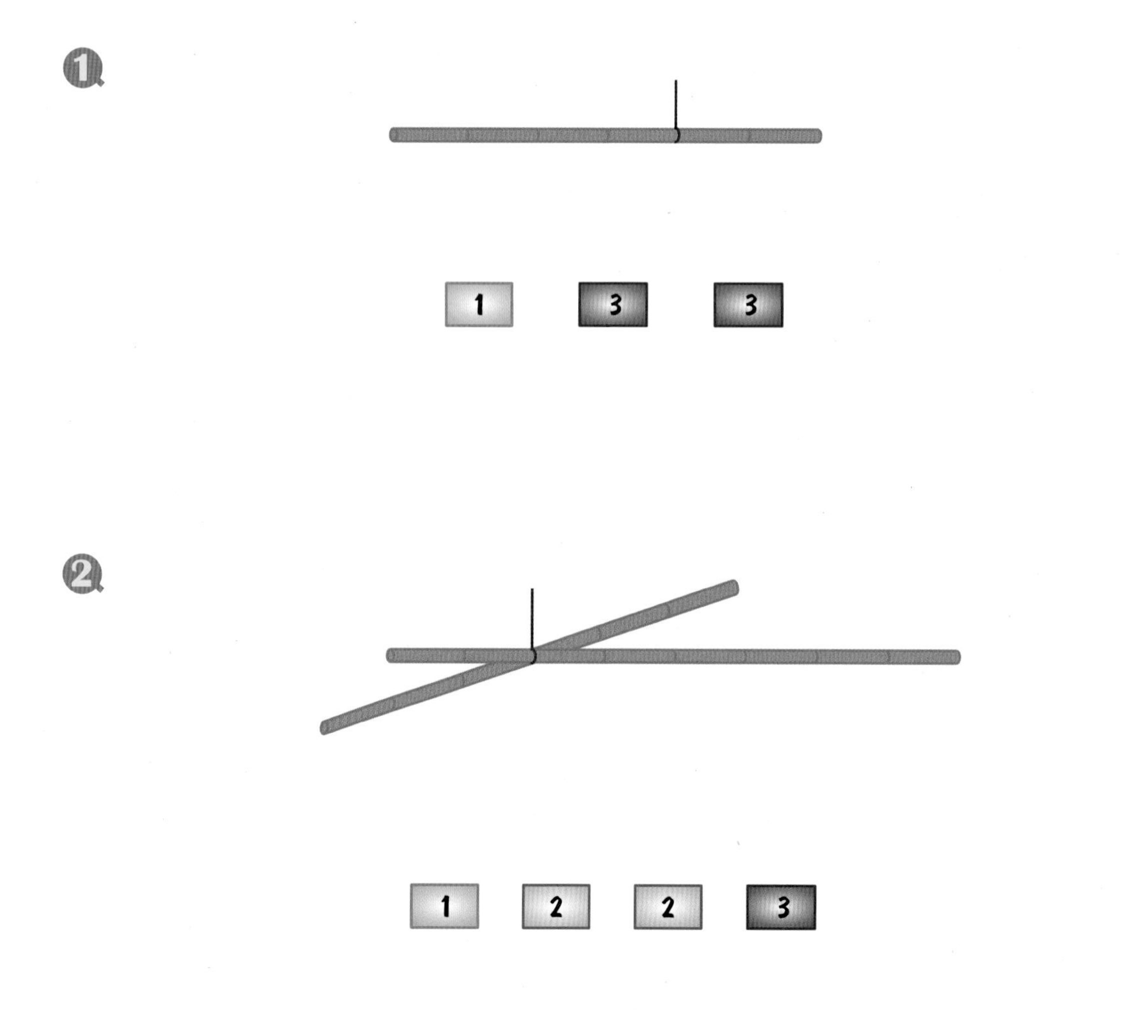

2 과일 모형을 매단 모빌을 만들려고 합니다. 과일 모형의 무게가 다음과 같을 때, 〈부록〉의 과일 모형을 오려 어느 한쪽으로 기울어지지 않고 균형을 잡을 수 있는 모빌을 두 가지 만들어 보세요.

※ 모빌 부록(p.97)을 활용하세요.

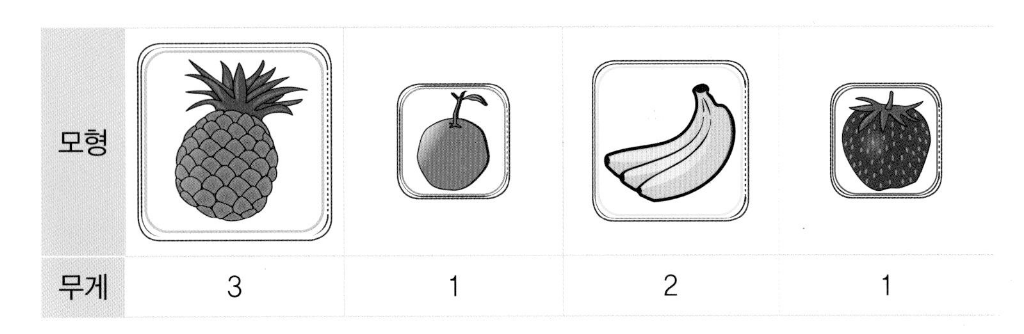

모형	(파인애플)	(사과)	(바나나)	(딸기)
무게	3	1	2	1

3 융합사고

1 여러 개의 사과가 담겨 있는 바구니에서 가장 큰 사과를 고르려고 합니다. 사과의 크기를 비교할 수 있는 방법을 찾아 다섯 가지 적어보세요.

2 다음 두 도형 중 더 넓은 도형을 골라 모빌에 달려고 합니다. 더 넓은 도형을 고르는 방법을 세 가지 적어보세요.

3 터널을 지나거나 다리 아래를 지나갈 때, 주차장에 들어갈 때 통과할 수 있는 자동차의 높이를 제한하는 표지판을 설치해 놓습니다. 이처럼 우리 주변에서 높이와 키를 비교하는 일이 필요한 경우를 찾아 다섯 가지 적어보세요.

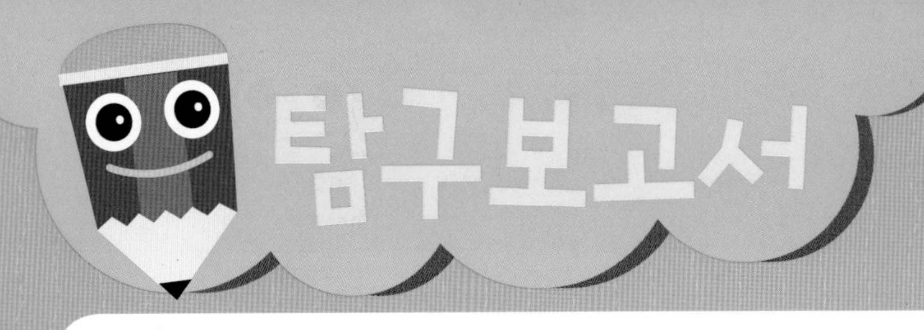

문제인식 1 STEP

❶ 탐구 주제 (제목)

문제해결 2 STEP

❷ 탐구 문제 (가설)

❸ 탐구 방법

④ 탐구 결과 및 결론

유합사고 3 STEP

⑤ 탐구에 대한 나의 의견 (고민, 아쉬운 점, 새로 알게 된 점, 더 알고 싶은 점)

활동 평가표

주제	수평을 이용한 모빌 만들기				
영역	평가 기준		평가 척도		
			우수	보통	노력 요함
활동 목표 성취	시소를 이용해 물체의 무게를 비교할 수 있었다.				
	무게가 다른 물체를 이용해 수평을 맞추고, 모빌을 디자인 할 수 있었다.				
	길이와 크기를 비교하는 다양한 방법을 찾을 수 있었다.				
	이 수업을 통해 통합능력과 의사소통능력이 향상되었다.				
융합 · 연계 분야 촉진	독창성	기존의 것에서 탈피하여 참신하고 독특한 아이디어를 제시하고 있다.			
	논리성	전개과정과 문제해결에서 전후가 명확하고 원인과 결과 및 사용되는 이론적 배경이 분명하다			
	복합성	몇 가지의 상이한 요소, 부분 또는 다양한 단계들을 포함하고 있다.			
	발전 가능성	앞으로 새로운 산출물을 만들어 낼 수 있는 새로운 아이디어들을 많이 시사해 주고 있다.			
	유용성	실제로 적용하여 사용할 수 있음이 분명하다.			
종합 및 기타 의견					

평가 시 유의사항

※ 활동 평가표는 팀별 프로젝트 활동 중 또는 활동이 끝난 후 작성한다.

※ 활동 평가표의 작성 및 평가 시 유의점은 아래와 같다.

- '평가 척도'는 우수, 보통, 노력 요함이며 해당되는 란에 ∨표 한다.
- 활동 목표는 이 수업을 통해 얻게 된 결과물을 중심으로 평가한다.
- 융합 · 연계분야 성취는 이 활동을 통해 얻게 되는 융합 교육적 효과를 중심으로 평가한다.
- 종합 및 기타 의견에는 수업과 관련한 특이사항 및 종합, 느낀 점, 기타 사항을 기술한다.

영재교육원 대비

안쌤의 창의적 문제해결력

수학 3

1·2 학년

STEP 1 문제인식

수학과 바둑이 만나다

바둑이란 검은색 돌과 흰색 돌을 바둑판 위에 번갈아 두며 '집'을 많이 짓도록 경쟁하는 게임이다. 바둑의 기원에 대해서는 많은 설이 있는데 중국에서 발생되었다는 설이 가장 유력하다. 바둑이 본격적으로 근대적인 게임의 토대를 갖추게 된 것은 중세 일본에서부터이다. 일본에서 바둑이 국기(國技)가 되어 지원 받으면서 바둑을 직업으로 삼는 기사가 생겨났다. 이들에 의해 경기 방법이 정비되고 각종 이론이 만들어지면서 근대경기로서의 틀과 체계가 세워졌다.

우리나라에서는 삼국시대 고구려의 승려 도림이 백제의 개로왕과 바둑을 두었다는 이야기가 삼국유사를 통해 전해지고 있다. 백제 문화가 일본에 전파될 때 바둑도 함께 건너간 것으로 추측된다.

바둑에 사용되는 흑돌과 백돌, 바둑판을 통해 다양한 경우의 수와 규칙성을 알아볼 수 있다. 최근에는 집중력과 사고력을 키우기 위해 많은 학생들이 바둑을 배운다고 한다.

바둑과 수학

1 다음과 같이 놓여진 바둑돌의 규칙을 설명하고 (   ) 안에 들어갈 바둑돌을 그리고 이유를 적어보세요.

○ ● ● ○ ○ ○ ● ● ● ● ○ ○ ○ (   ) ● ●

2 바둑판 위에 그림과 같이 4개의 바둑돌이 놓여 있습니다. 대각선 포함한 한 줄에 바둑돌이 3개가 놓이지 않도록 가능한 많은 바둑돌을 올려놓으려고 합니다. 바둑돌을 최대 몇 개까지 더 놓을 수 있는지 그려서 구해보세요.

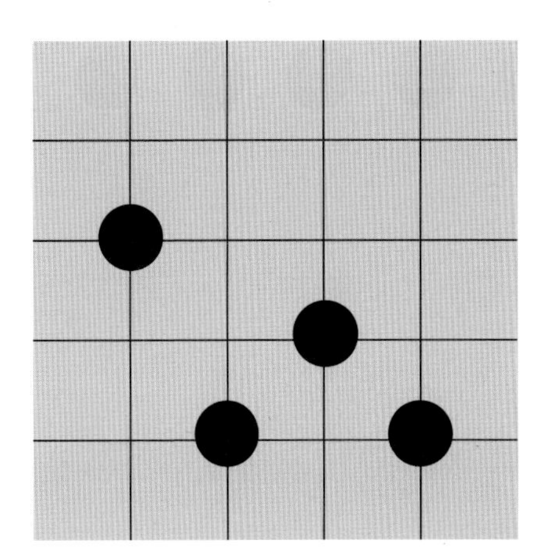

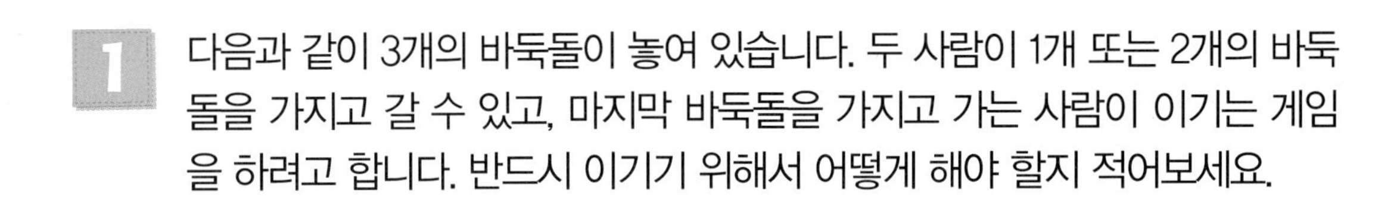

1 다음과 같이 3개의 바둑돌이 놓여 있습니다. 두 사람이 1개 또는 2개의 바둑돌을 가지고 갈 수 있고, 마지막 바둑돌을 가지고 가는 사람이 이기는 게임을 하려고 합니다. 반드시 이기기 위해서 어떻게 해야 할지 적어보세요.

2 다음과 같이 10개의 바둑돌이 놓여 있습니다. **1** 과 같은 방법으로 게임을 할 때, 반드시 이길 수 있는 방법을 적어보세요.

3 바둑돌과 바둑판을 이용해 나만의 재미있는 게임을 만들어보세요.

※ 바둑판 부록 1, 2(p.99, 101)을 활용하세요.

1. 자신이 만든 게임의 방법과 규칙을 적어보세요.

2. 게임에 어울리는 이름을 정하고 이름을 정한 이유를 적어보세요.

STEP 3

융합사고

1 다음은 바둑 게임의 한 종류인 오목에 대한 설명입니다.

> 오목은 두 사람이 바둑판에 바둑돌을 놓아 5개를 먼저 나란히 놓은 사람이 이기는 바둑게임이다. 바둑돌은 가로와 세로, 대각선으로 놓을 수 있으며 5개의 바둑알이 빈틈없이 연결되어야 한다.
> 게임방법이 쉽고 간단해 미국이나 유럽 등의 여러 나라에서도 유행하고 있다. 바둑알과 바둑판이 없을 경우에는 종이에 사각형을 그리고 연필이나 볼펜으로 바둑알을 그려가며 게임을 할 수도 있다.

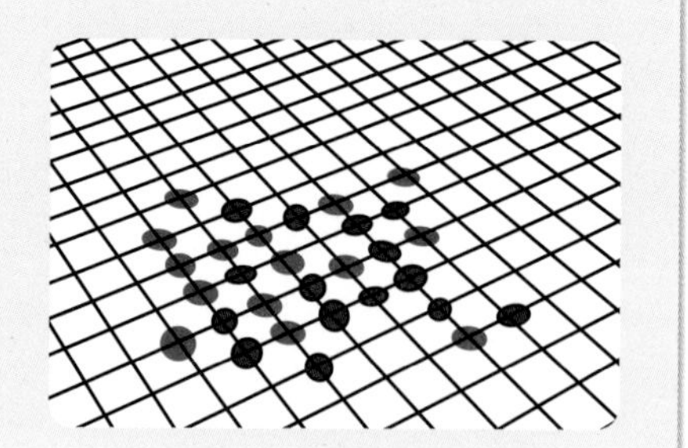

검은색 바둑돌을 놓을 순서라고 할 때, 검은 돌이 이기려면 검은색 바둑돌을 어디에 놓아야 하는지 모두 그려보세요.

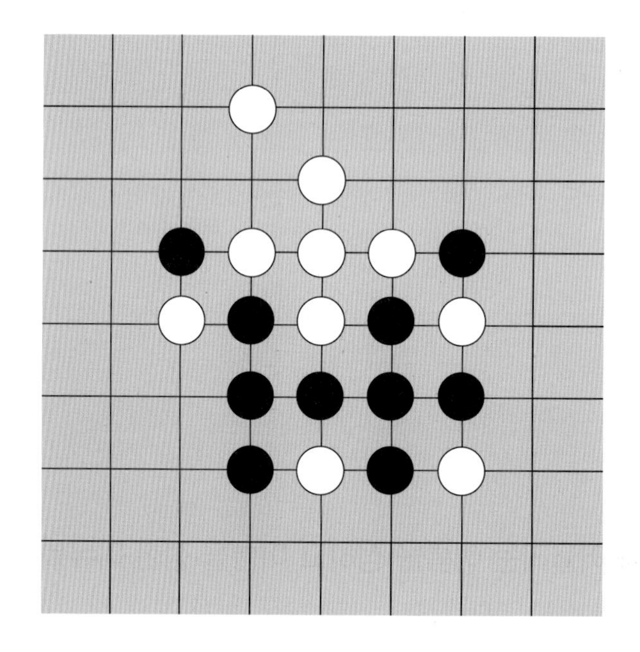

2 다음은 흉내 바둑에 대한 내용입니다.

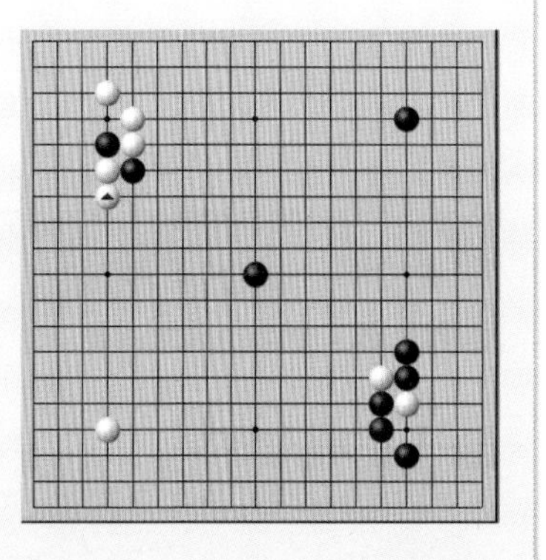

바둑은 바둑판 위에 바둑돌을 1개씩 놓아 더 넓은 영토를 만들면 이기는 게임이다. 흉내 바둑이란 먼저 두는 사람이 처음 한가운데에 바둑돌을 둔 다음 가운데 돌을 중심으로 상대방이 둔 위치와 반대(대칭)되는 곳에 자신의 바둑돌을 두는 것이다. 이런 방법을 이용하면 가운데에 있는 돌 1개 때문에 결국 이기게 된다. 이 전략은 너무도 강력하여 비겁한 수법이라는 비난을 받기도 하지만 수학적으로 보면 기발하고 논리적인 방법이다.

올바른 흉내 바둑이 되도록 검은색 돌을 그려보세요.

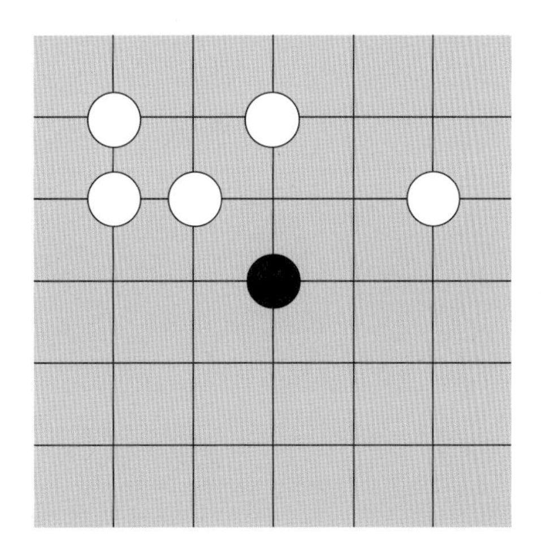

3 다음은 스마트폰으로 두 사람이 할 수 있는 색칠하기 게임입니다. 이 게임은 흉내 바둑과 마찬가지로 가운데 칸을 먼저 색칠하고 가운데 칸을 중심으로 상대방과 반대(대칭)가 되도록 색칠하면 반드시 이길 수 있다고 합니다. 게임을 먼저 시작하였을 때, 이기기 위해 먼저 색칠할 수 있는 방법 다섯 가지를 찾아보세요. (단, 한 번에 5칸까지 색칠할 수 있다.)

탐구보고서

문제인식 1 STEP

① 탐구 주제 (제목)

문제해결 2 STEP

② 탐구 문제 (가설)

③ 탐구 방법

4 탐구 결과 및 결론

5 탐구에 대한 나의 의견 (고민, 아쉬운 점, 새로 알게 된 점, 더 알고 싶은 점)

활동 평가표

<table>
<tr><td>주제</td><td colspan="5">수학과 바둑이 만나다</td></tr>
<tr><td rowspan="2">영역</td><td colspan="2" rowspan="2">평가 기준</td><td colspan="3">평가 척도</td></tr>
<tr><td>우수</td><td>보통</td><td>노력 요함</td></tr>
<tr><td rowspan="4">활동 목표 성취</td><td colspan="2">바둑돌이 놓인 모습을 보고 규칙성을 찾을 수 있었다.</td><td></td><td></td><td></td></tr>
<tr><td colspan="2">규칙성과 논리적 사고를 통해 게임에서 반드시 이길 수 있는 방법을 찾을 수 있었다.</td><td></td><td></td><td></td></tr>
<tr><td colspan="2">바둑과 바둑돌을 이용해 새롭고 창의적인 게임을 만들 수 있었다.</td><td></td><td></td><td></td></tr>
<tr><td colspan="2">이 수업을 통해 통합능력과 의사소통능력이 향상되었다.</td><td></td><td></td><td></td></tr>
<tr><td rowspan="5">융합 · 연계 분야 촉진</td><td>독창성</td><td>기존의 것에서 탈피하여 참신하고 독특한 아이디어를 제시하고 있다.</td><td></td><td></td><td></td></tr>
<tr><td>논리성</td><td>전개과정과 문제해결에서 전후가 명확하고 원인과 결과 및 사용되는 이론적 배경이 분명하다.</td><td></td><td></td><td></td></tr>
<tr><td>복합성</td><td>몇 가지의 상이한 요소, 부분 또는 다양한 단계들을 포함하고 있다.</td><td></td><td></td><td></td></tr>
<tr><td>발전 가능성</td><td>앞으로 새로운 산출물을 만들어 낼 수 있는 새로운 아이디어들을 많이 시사해 주고 있다.</td><td></td><td></td><td></td></tr>
<tr><td>변형 가능성</td><td>사람들로 하여금 이 분야를 전혀 새로운 방식으로 보거나 생각하게 만들고 있다.</td><td></td><td></td><td></td></tr>
<tr><td>종합 및 기타 의견</td><td colspan="5"></td></tr>
</table>

평가 시 유의사항

※ 활동 평가표는 팀별 프로젝트 활동 중 또는 활동이 끝난 후 작성한다.

※ 활동 평가표의 작성 및 평가 시 유의점은 아래와 같다.

- '평가 척도'는 우수, 보통, 노력 요함이며 해당되는 란에 ∨표 한다.
- 활동 목표는 이 수업을 통해 얻게 된 결과물을 중심으로 평가한다.
- 융합 · 연계분야 성취는 이 활동을 통해 얻게 되는 융합 교육적 효과를 중심으로 평가한다.
- 종합 및 기타 의견에는 수업과 관련한 특이사항 및 종합, 느낀 점, 기타 사항을 기술한다.

영재교육원 대비

안쌤의 창의적 문제해결력

수학 4

1·2 학년

STEP 1

문제인식

나만의 동전 분류 기준

지후는 돼지 저금통에 열심히 동전을 모아 저금통에 동전이 가득차서 더 이상 저금을 할 수 없게 되었다. 저금통에 들어있는 동전을 꺼내어 은행에 저금하기로 마음먹은 지후는 저금통에서 나온 동전이 모두 얼마인지 궁금했지만, 수많은 동전을 종류별로 분류하여 얼마인지 계산하는 것은 쉬운 일이 아니었다.

저금통에서 꺼낸 동전을 들고 은행으로 간 지후는 은행 구석에 놓여 있는 작은 기계를 찾았다. 그 작은 기계에 가지고 온 동전을 쏟아 넣자 동전이 종류별로 분류되어 나오기 시작했다. 그 작은 기계는 동전 분류기이다. 동전분류기는 어떤 방법으로 동전을 분류하는지 함께 생각해보자.

동전 분류기

1 다음 두 도형의 공통점과 차이점을 적어보세요.

❶

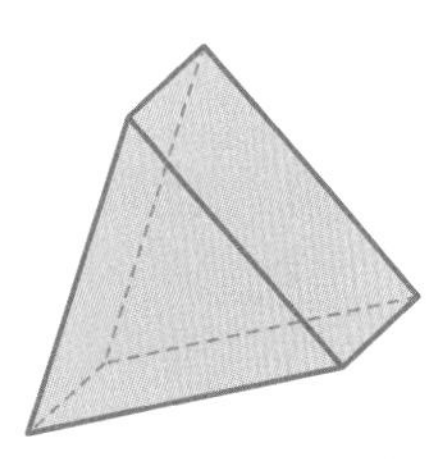

• 공통점 :

• 차이점 :

❷

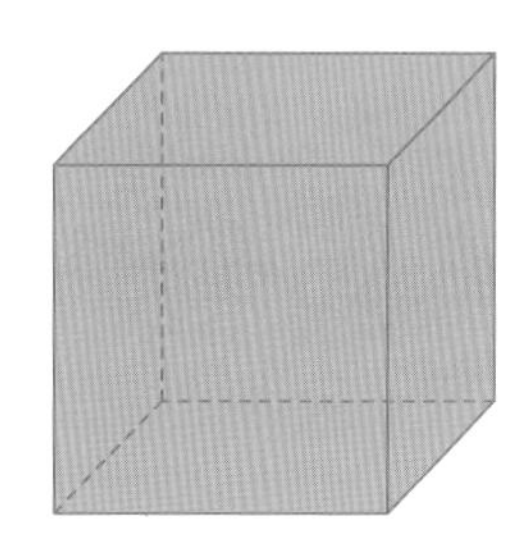

• 공통점 :

• 차이점 :

STEP 2

문제해결

1 다음 도형들을 분류할 수 있는 기준을 2가지 찾고, 그 기준에 따라 두 모둠으로 분류하시오.

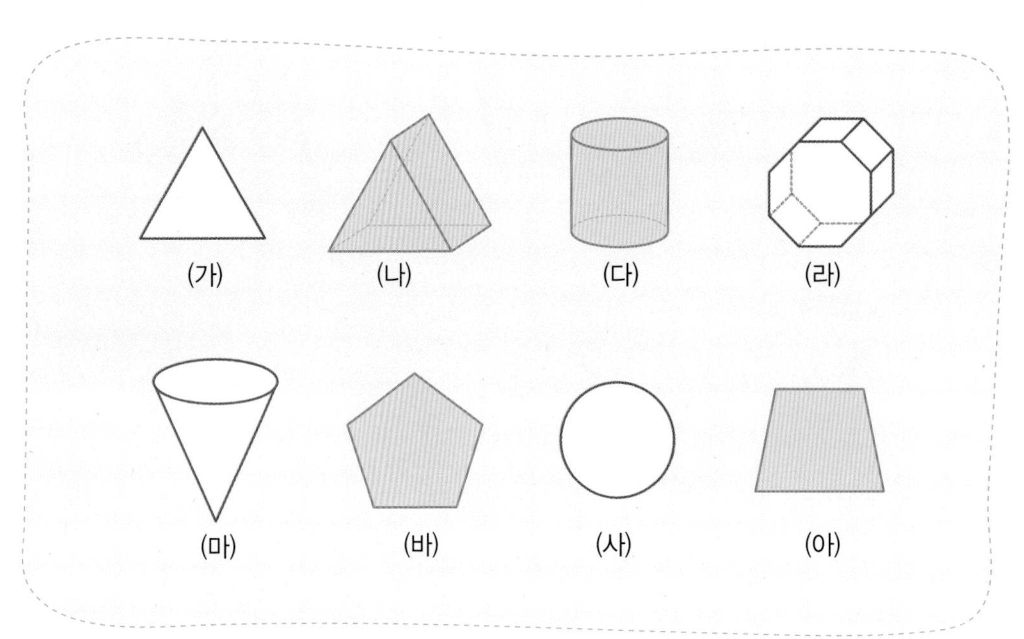

예시

분류 기준	노란색 도형	빨간색 도형
분류 결과	(가), (라), (마), (사)	(나), (다), (바), (아)

분류 기준		
분류 결과		

분류 기준		
분류 결과		

2 다음은 우리가 흔히 사용하는 동전의 특징을 비교한 표입니다.

구분	500원	100원	50원	10원
모양	앞면 : 학, 오백원 뒷면 : 500	앞면 : 이순신, 백원 뒷면 : 100	앞면 : 벼이삭, 오십원 뒷면 : 50	앞면 : 다보탑, 십원 뒷면 : 10
성분	백동 (구리+니켈)	백동 (구리+니켈)	양백 (구리+아연+니켈)	구리씌움 알루미늄
크기	26.50mm	24.00mm	21.60mm	18.0mm
무게	7.70g	5.42g	4.16g	1.22g
기타	120개 톱니모양	110개 톱니모양	109개 톱니모양	톱니모양 없음

위 표를 바탕으로 동전을 분류할 수 있는 방법을 적어보세요.

STEP 3

융합사고

1 다음은 주변에서 볼 수 있는 식물들의 모습입니다. 기준을 세워 식물들을 두 모둠으로 분류해보세요.

(가) (나) (다) (라)

분류 기준		
분류 결과		

분류 기준		
분류 결과		

분류 기준		
분류 결과		

2 다음은 A 마켓 인터넷 쇼핑몰에서 판매하는 물건을 분류한 표입니다. 잘못 분류된 것을 찾고 적절한 위치를 찾아보세요.

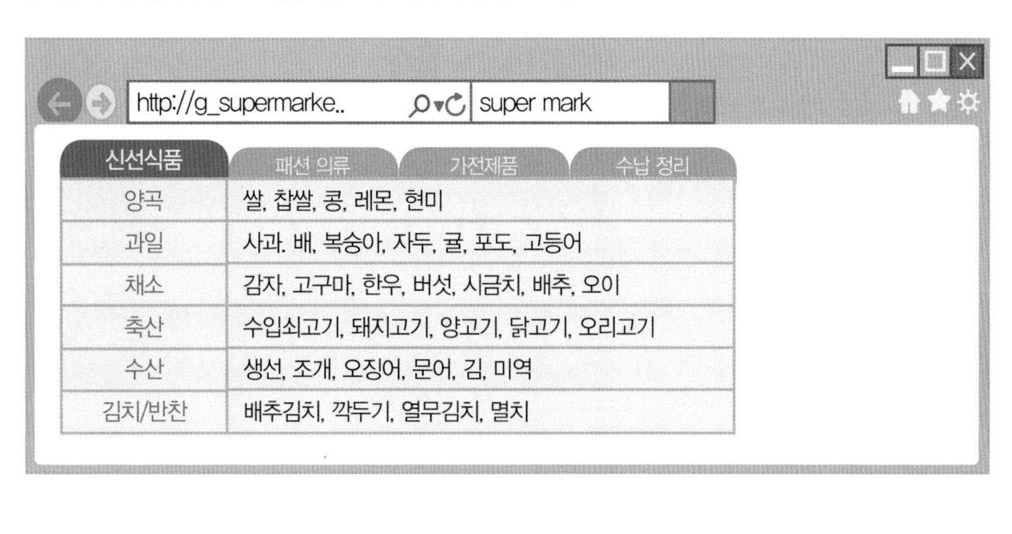

양곡	쌀, 찹쌀, 콩, 레몬, 현미
과일	사과, 배, 복숭아, 자두, 귤, 포도, 고등어
채소	감자, 고구마, 한우, 버섯, 시금치, 배추, 오이
축산	수입쇠고기, 돼지고기, 양고기, 닭고기, 오리고기
수산	생선, 조개, 오징어, 문어, 김, 미역
김치/반찬	배추김치, 깍두기, 열무김치, 멸치

3 실생활에서 분류가 사용되는 경우를 찾고 사용되는 이유를 적어보세요.

문제인식 1 STEP

1 탐구 주제 (제목)

문제해결 2 STEP

2 탐구 문제 (가설)

3 탐구 방법

4 탐구 결과 및 결론

유합사고 3 STEP

5 탐구에 대한 나의 의견 (고민, 아쉬운 점, 새로 알게 된 점, 더 알고 싶은 점)

활동 평가표

<table>
<tr><td>주제</td><td colspan="5">나만의 동전 분류 기준</td></tr>
<tr><td rowspan="2">영역</td><td colspan="2" rowspan="2">평가 기준</td><td colspan="3">평가 척도</td></tr>
<tr><td>우수</td><td>보통</td><td>노력 요함</td></tr>
<tr><td rowspan="4">활동 목표 성취</td><td colspan="2">다양한 도형들의 특징을 파악하여 공통점과 차이점을 찾을 수 있었다.</td><td></td><td></td><td></td></tr>
<tr><td colspan="2">적절한 분류 기준을 정하여 분류하는 방법과 그 결과를 예상할 수 있었다.</td><td></td><td></td><td></td></tr>
<tr><td colspan="2">분류가 사용되는 다양한 경우를 찾고 분류가 사용되는 이유를 설명할 수 있었다.</td><td></td><td></td><td></td></tr>
<tr><td colspan="2">이 수업을 통해 통합능력과 의사소통능력이 향상되었다.</td><td></td><td></td><td></td></tr>
<tr><td rowspan="5">융합 · 연계 분야 촉진</td><td>독창성</td><td>기존의 것에서 탈피하여 참신하고 독특한 아이디어를 제시하고 있다.</td><td></td><td></td><td></td></tr>
<tr><td>논리성</td><td>전개과정과 문제해결에서 전후가 명확하고 원인과 결과 및 사용되는 이론적 배경이 분명하다.</td><td></td><td></td><td></td></tr>
<tr><td>변형 가능성</td><td>사람들로 하여금 이 분야를 전혀 새로운 방식으로 보거나 생각하게 만들고 있다.</td><td></td><td></td><td></td></tr>
<tr><td>표현력</td><td>사물이나 자연 및 사회 현상을 창의적으로 분명하게 표현하고 있다.</td><td></td><td></td><td></td></tr>
<tr><td>유용성</td><td>실제로 적용하여 사용할 수 있음이 분명하다.</td><td></td><td></td><td></td></tr>
<tr><td>종합 및 기타 의견</td><td colspan="5"></td></tr>
</table>

평가 시 유의사항

※ 활동 평가표는 팀별 프로젝트 활동 중 또는 활동이 끝난 후 작성한다.

※ 활동 평가표의 작성 및 평가 시 유의점은 아래와 같다.

- '평가 척도'는 우수, 보통, 노력 요함이며 해당되는 란에 ∨표 한다.
- 활동 목표는 이 수업을 통해 얻게 된 결과물을 중심으로 평가한다.
- 융합 · 연계분야 성취는 이 활동을 통해 얻게 되는 융합 교육적 효과를 중심으로 평가한다.
- 종합 및 기타 의견에는 수업과 관련한 특이사항 및 종합, 느낀 점, 기타 사항을 기술한다.

영재교육원 대비

안쌤의 창의적 문제해결력

수학 5

1·2 학년

STEP 1

문제인식

자전거 사고를 줄여보자

자전거는 자동차처럼 연료를 사용하지 않아 환경을 오염시키지 않고 주차 걱정할 필요도 없는 이동수단이다. 자전거를 타면 자신의 의지에 따라 어디든 갈 수 있으며 자전거를 타는 동안 자연스럽게 운동도 된다. 이러한 자전거의 장점 때문에 자전거를 타는 사람들이 증가하고 있다. 안타까운 것은 자전거를 타는 사람이 증가하는 만큼 자전거 사고도 증가하고 있다는 것이다. 교통안전공단의 2005~2009년 교통수단별 교통사고 현황에 따르면 2005년에는 하루에 약 2건 정도 발생하던 자전거 사고가 2007년에는 하루에 약 4건, 2009년에는 하루에 약 7건으로 증가했다고 한다. 자전거 사고가 증가하는 이유를 알아보고 자전거 사고를 줄일 수 있는 방법을 찾아보자.

자전거 사고 예방

1 다음은 수현이네 학교 학생들 중 자전거를 이용해 통학하는 학생 수를 조사한 것입니다. 학년이 올라갈수록 자전거를 타고 통학하는 학생의 수가 일정하게 증가한다고 할 때, 빈칸에 들어갈 알맞은 수를 쓰고 그 이유를 적어보세요.

학년	1	2	3	4	5	6
자전거로 통학하는 학생 수(명)	9	18	27	36		

2 다음은 어느 도시의 요일별 자전거 사고 수를 조사한 내용입니다. 빈 칸에 알맞은 수를 예상하고 이유를 수학적으로 설명하세요.

구분		일	월	화	수	목	금	토
자전거 사고 수(건)	첫째 주	13	6	3	8	6	15	10
	둘째 주	14	5	5	6	8		12

STEP 2 문제해결

1 다음은 어느 마을의 자전거 수와 자전거 사고 수를 조사한 결과입니다. 이 마을의 2020년의 자전거 사고 수를 예상하고 그 이유를 적어보세요.

연도	2010년	2011년	2012년	2013년	2014년	…	2020년
자전거 수(대)	258	315	389	492	682	…	약 1200대 예상
자전거 사고 수(건)	6	9	12	16	25	…	

2 다음은 어느 두 마을의 인구수와 같은 기간 동안 일어난 자전거 사고 수를 조사한 것입니다. 어느 마을의 자전거 사고 발생 정도가 더 심각한지 적어보세요.

구분	인구(명)	자전거 사고 수(건)
A 마을	824명	4건
B 마을	284명	8건

3

다음은 자전거 사고에 대한 자료를 정리한 것입니다. 다음 자료를 보고 자전거 사고를 줄이기 위한 방법을 다섯 가지 적어보세요.

[자전거 사고 100건 중 사고 발생 시간]

시각	0~2시	2~4시	4~6시	6~8시	8~10시	10~12시
사고 발생 수(건)	1	1	6	8	11	11
시각	12~14시	14~16시	16~18시	18~20시	20~22시	22~24시
사고 발생 수(건)	10	12	11	17	8	4

[자전거 사고 100건 중 사고 원인]

원인	앞을 살피지 않음	교통 법규 위반	자전거 운전 미숙	자전거 고장
사고 발생 수(건)	51	35	10	4

[자전거 사고 100건 중 사고 발생 장소]

장소	큰 도로	골목길	자전거 전용
사고 발생 수(건)	30	65	5

융합사고

1 자전거를 타고 가던 사람이 앞에 놓인 돌을 보고 브레이크를 잡았습니다. 이때 공주거리는 위험이 출현한 후 브레이크를 작동하기까지 이동한 거리이고, 제동거리는 브레이크를 작동한 후 멈출 때까지 이동한 거리입니다. 공주거리와 제동거리를 합한 것은 정지거리로 정지거리가 짧을수록 사고를 줄일 수 있습니다. 사고를 줄이기 위해 자동차나 자전거의 정지거리를 줄일 수 있는 방법을 세 가지 서술하시오.

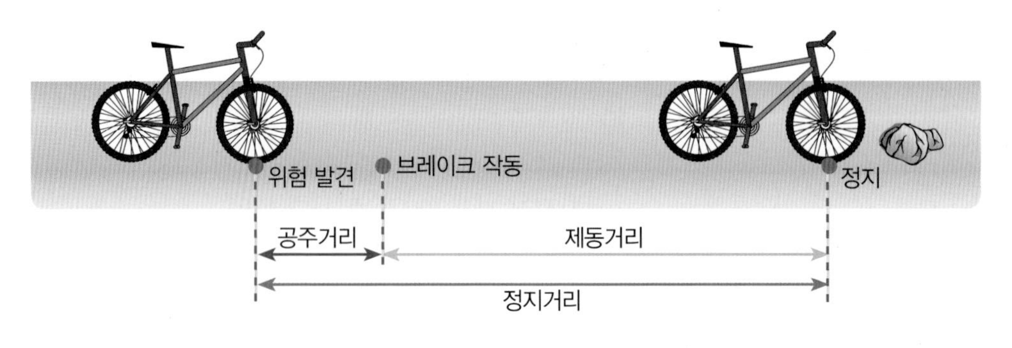

2 동생이 갑자기 열이 올라 정신을 잃고 쓰러졌습니다. 빨리 병원에 도착하지 않으면 동생이 위험할지도 모르는 위급한 상황입니다. 병원으로 가는 길은 시속 50 km까지 달릴 수 있는 도로입니다. 동생을 위해 법을 위반하고 빨리 달려 병원으로 가야 할지, 아니면 법이 정해준 최고 속도를 지켜야 할지 자신의 생각을 적어보세요.

3 신호등이나 과속방지턱은 자동차 사고를 줄이기 위해 만들어진 것입니다. 처음 신호등과 과속방지턱이 만들어졌을 때 많은 사람들이 불편해했지만 지금은 이러한 도구들 덕분에 안전하고 빠르게 운전할 수 있게 되었습니다.

▲ 신호등 ▲ 과속방지턱

신호등과 과속방지턱처럼 자전거 사고를 줄이는 데 도움이 되는 아이디어를 두 가지 쓰고 그 방법이 어떻게 사고를 줄이는 데 도움이 되는지 적어보세요.

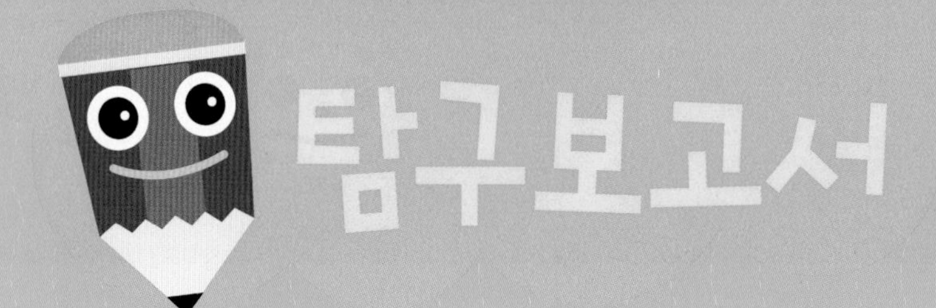

문제인식 1 STEP

❶ 탐구 주제 (제목)

문제해결 2 STEP

❷ 탐구 문제 (가설)

❸ 탐구 방법

4 탐구 결과 및 결론

유합사고 3 STEP

5 탐구에 대한 나의 의견 (고민, 아쉬운 점, 새로 알게 된 점, 더 연구하고 싶은 점)

활동 평가표

주제	자전거 사고를 줄여보자				
영역	평가 기준		평가 척도		
			우수	보통	노력 요함
활동 목표 성취	주어진 통계 자료를 분석하고, 결과를 예상할 수 있었다.				
	다양한 사고 원인을 분석하고, 분석 결과에 따른 해결 방법을 찾을 수 있었다.				
	창의적인 아이디어를 통해 자전거 사고를 줄일 수 있는 도구나 방법을 고안할 수 있었다.				
	이 수업을 통해 통합능력과 의사소통능력이 향상되었다.				
융합 · 연계 분야 촉진	논리성	전개과정과 문제해결에서 전후가 명확하고 원인과 결과 및 사용되는 이론적 배경이 분명하다.			
	복합성	몇 가지의 상이한 요소, 부분 또는 다양한 단계들을 포함하고 있다.			
	발전 가능성	앞으로 새로운 산출물을 만들어 낼 수 있는 새로운 아이디어들을 많이 시사해 주고 있다.			
	가치성	정보로서 가치 있고, 중요한 것이라고 생각할 수 있다.			
	유용성	실제로 적용하여 사용할 수 있음이 분명하다.			
종합 및 기타 의견					

평가 시 유의사항

※ 활동 평가표는 팀별 프로젝트 활동 중 또는 활동이 끝난 후 작성한다.

※ 활동 평가표의 작성 및 평가 시 유의점은 아래와 같다.

- '평가 척도'는 우수, 보통, 노력 요함이며 해당되는 란에 ∨표 한다.
- 활동 목표는 이 수업을 통해 얻게 된 결과물을 중심으로 평가한다.
- 융합 · 연계분야 성취는 이 활동을 통해 얻게 되는 융합 교육적 효과를 중심으로 평가한다.
- 종합 및 기타 의견에는 수업과 관련한 특이사항 및 종합, 느낀 점, 기타 사항을 기술한다.

영재교육원 대비

안쌤의 창의적 문제해결력

수학 6

1·2 학년

STEP 1

문제인식

스무고개 속 논리 찾기

스무고개는 한 사람이 어떤 물건이나 숫자를 마음 속으로 생각하면 다른 사람이 스무 번까지 질문을 해서 그것을 알아맞히는 게임이다. 질문에 대한 답은 '예', '아니요'로만 할 수 있고 스무 번의 질문을 모두 하기 전에 답을 맞힐 수도 있다. 이 게임은 1950년대 영국의 한 라디오 프로그램으로 유명해졌으며 우리나라의 한 라디오 프로그램에서도 이 게임을 방송하여 많은 사람들이 즐기는 게임이 되었다.

스무고개의 게임 방법은 다음과 같다.

1. 문제를 내는 사람은 생각한 한 가지를 종이에 적는다.
2. 질문을 하는 사람은 한 번에 한 가지만 물어야 한다.
3. 문제를 낸 사람은 '예'와 '아니요'로만 대답한다.
4. 한 번 질문하고 답하는 것이 한 고개를 넘는 것이고, 스무고개 안에 답을 맞혀야 한다.

스무고개 게임

스무고개 놀이는 생각하기 싫어하고, 즉각적인 반응에 익숙해져 있는 학생들에게 사고력과 문제해결력, 추리력을 높여주는 매우 유익한 놀이이다.

살아 있나요?

먹을 수 있나요?

날아다니나요?

빨간색인가요?

1 1부터 9까지의 숫자 카드가 있습니다. 다음 조건에 맞는 카드를 모두 고르세요.

1. 5보다 큰 수는 무엇인가요?

2. 3보다 작은 수는 무엇인가요?

2 다음은 스무고개 게임 중 상대방이 생각한 과일이 무엇인지 알아내기 위해 물어본 질문입니다. 이 질문이 적절한지 쓰고, 만약 질문이 적절하지 않다면 그 이유를 적어보세요.

맛있는 과일인가요?

STEP 2

문제해결

1 다음은 문제를 해결하기 위해 만들어진 순서도입니다.

❶ 상대방에게 1~3까지의 숫자 카드 중 1개의 카드를 선택하도록 한 후, 선택한 카드에 적힌 숫자를 알아내려고 합니다. 빈칸에 알맞은 수를 써보세요.

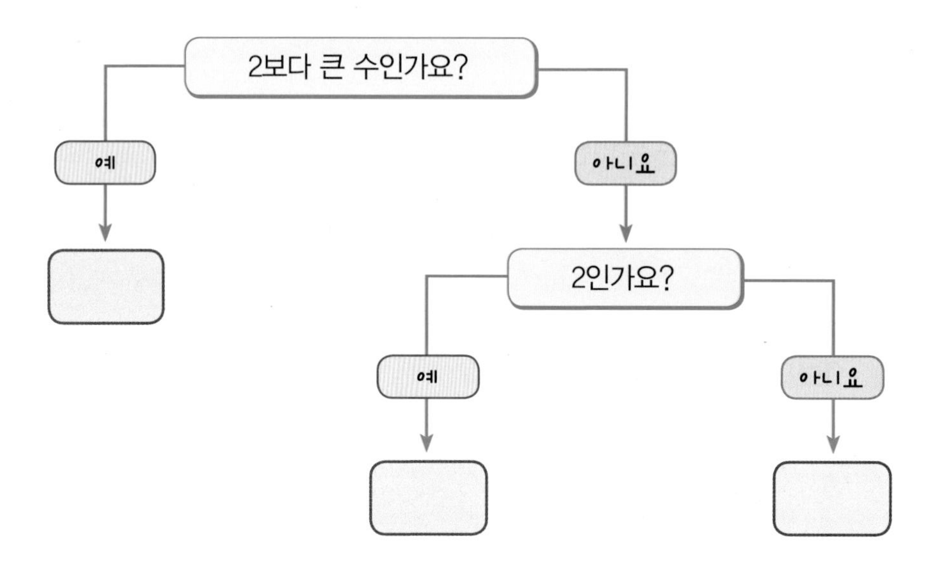

❷ 상대방에게 7~9까지의 숫자 카드 중 1개의 카드를 선택하도록 한 후, 선택한 카드에 적힌 숫자를 알아내려고 합니다. 빈칸에 알맞은 수를 써보세요.

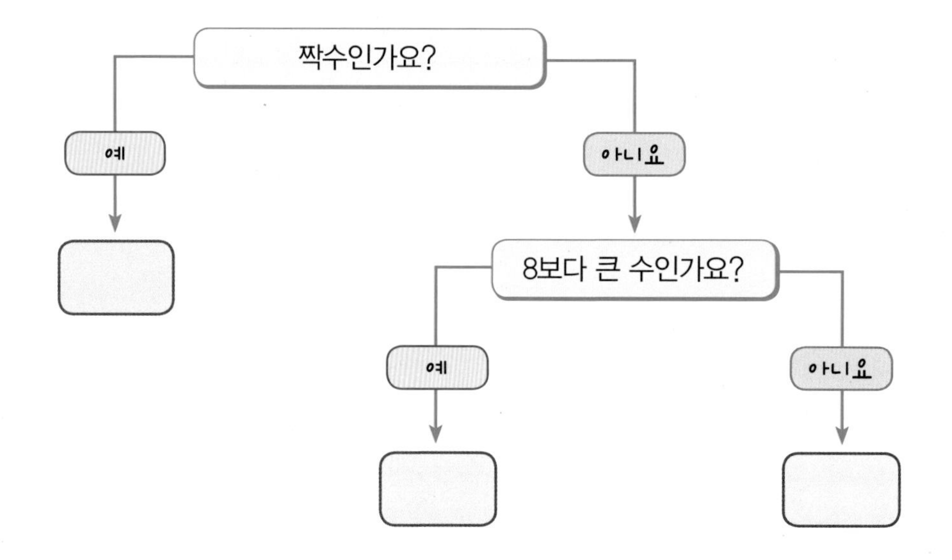

2 다음은 상대방에게 1~6까지의 숫자 카드 중 1개의 카드를 선택하도록 한 후, 선택한 카드에 적힌 숫자를 알아내는 순서도입니다.

1 빈 칸에 알맞은 수를 써보세요.

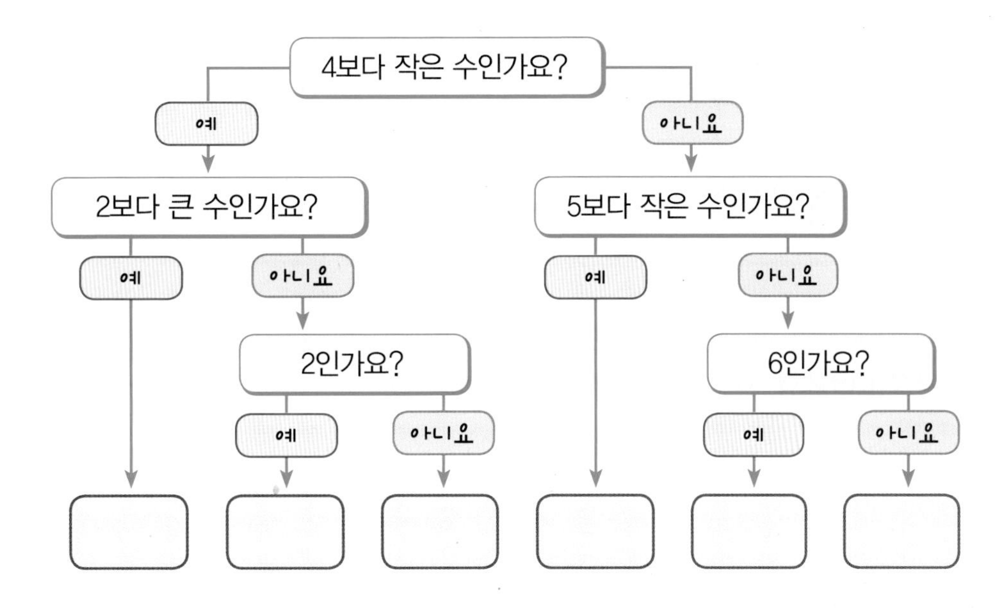

2 새로운 방법으로 순서도를 만들어보세요.

STEP 3

융합사고

1 다음은 1~4가 적힌 숫자 카드 중 1개를 선택한 학생의 카드에 적힌 숫자를 알아내기 위한 과정입니다.

방법 1

① 1인가요? ---------- 아니오.
② 2인가요? ---------- 아니오.
③ 3인가요? ---------- 아니오.
➡ 답은 4입니다.

방법 2

① 3보다 작은 수 인가요? ---------- 아니오.
② 3인가요? ---------- 아니오.
➡ 답은 4입니다.

1 두 방법 중 더 효율적으로 답을 알아낼 수 있는 방법을 쓰고 그 이유를 적어보세요.

2 **방법 2**와 같이 1~16이 적힌 숫자 카드 중 1개를 선택한 학생의 카드에 적힌 숫자를 알아내려고 합니다. 몇 번의 질문으로 답을 알아낼 수 있을지 풀이과정과 함께 구하세요.

2 다음은 네 자리 수인 비밀 번호를 알아내기 위해 만든 순서도 입니다. 순서도의 조건에 알맞는 비밀 번호를 모두 구해보세요. (단, 비밀 번호의 각 자리 숫자는 모두 다른 숫자입니다.)

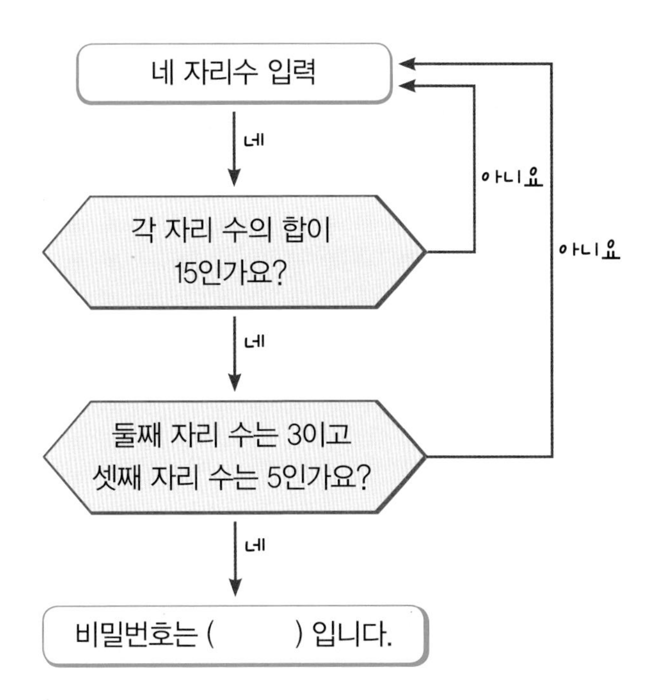

문제인식 1 STEP

① 탐구 주제 (제목)

문제해결 2 STEP

② 탐구 문제 (가설)

③ 탐구 방법

④ 탐구 결과 및 결론

유합사고 3 STEP

⑤ 탐구에 대한 나의 의견 (고민, 아쉬운 점, 새로 알게 된 점, 더 알고 싶은 점)

활동 평가표

<table>
<tr><td>주제</td><td colspan="5">스무고개 속 논리 찾기</td></tr>
<tr><td rowspan="2">영역</td><td colspan="2" rowspan="2">평가 기준</td><td colspan="3">평가 척도</td></tr>
<tr><td>우수</td><td>보통</td><td>노력 요함</td></tr>
<tr><td rowspan="4">활동 목표 성취</td><td colspan="2">수의 범위를 이해하고, 정확히 표현할 수 있었다.</td><td></td><td></td><td></td></tr>
<tr><td colspan="2">순서도를 이해하고 그 결과를 예상할 수 있었다.</td><td></td><td></td><td></td></tr>
<tr><td colspan="2">문제해결력을 바탕으로 논리적 모순이 없는 순서도를 만들 수 있었다.</td><td></td><td></td><td></td></tr>
<tr><td colspan="2">이 수업을 통해 통합능력과 의사소통능력이 향상되었다.</td><td></td><td></td><td></td></tr>
<tr><td rowspan="5">융합 · 연계 분야 촉진</td><td>논리성</td><td>전개과정과 문제해결에서 전후가 명확하고 원인과 결과 및 사용되는 이론적 배경이 분명하다.</td><td></td><td></td><td></td></tr>
<tr><td>복합성</td><td>몇 가지의 상이한 요소 부분 또는 사용수준들을 포함하고 있다.</td><td></td><td></td><td></td></tr>
<tr><td>발전 가능성</td><td>앞으로 새로운 산출물을 만들어 낼 수 있는 새로운 아이디어들을 많이 시사해 주고 있다.</td><td></td><td></td><td></td></tr>
<tr><td>기능적 솜씨</td><td>이 산출물은 논리적으로 치밀하며, 도입 전개 결론에 이르는 전개과정이 높은 수준의 성취라고 할 수 있다</td><td></td><td></td><td></td></tr>
<tr><td>유용성</td><td>실제로 적용하여 사용할 수 있음이 분명하다.</td><td></td><td></td><td></td></tr>
<tr><td>종합 및 기타 의견</td><td colspan="5"></td></tr>
</table>

평가 시 유의사항

※ 활동 평가표는 팀별 프로젝트 활동 중 또는 활동이 끝난 후 작성한다.

※ 활동 평가표의 작성 및 평가 시 유의점은 아래와 같다.

- '평가 척도'는 우수, 보통, 노력 요함이며 해당되는 란에 ∨표 한다.
- 활동 목표는 이 수업을 통해 얻게 된 결과물을 중심으로 평가한다.
- 융합 · 연계분야 성취는 이 활동을 통해 얻게 되는 융합 교육적 효과를 중심으로 평가한다.
- 종합 및 기타 의견에는 수업과 관련한 특이사항 및 종합, 느낀 점, 기타 사항을 기술한다.

영재교육원 대비

안쌤의 창의적 문제해결력

수학 7

1·2 학년

STEP 1 문제인식

내 눈이 일으키는 착각

제주도에는 내리막길에 세워 둔 자동차가 위로 올라가는 도깨비 도로가 있다. 어느 부부가 사진을 찍으려고 차를 세워 두었는데 차가 슬금슬금 올라갔다는 사실이 알려지면서 이 도로는 신비의 도로로 유명해졌다. 지금도 이곳은 제주도를 찾는 사람들은 꼭 한 번 들르는 명소가 되었다.

이 도깨비 도로의 실체는 무엇일까?

사물의 크기나 색깔 같은 성질은 눈으로 보았을 때 본래의 모습과 차이가 나는 경우가 있다. 이런 경우를 시각적인 착각 현상, 즉 착시라고 한다. 도깨비 도로의 진실은 착시 현상에 있다. 제주도 도깨비 도로는 실제로 오르막길이지만 주변 지형의 영향으로 사람들의 눈에는 내리막길로 보인다.

도깨비 도로

1 다음 중 더 길어 보이는 곧은 선은 무엇인지 고르시오.

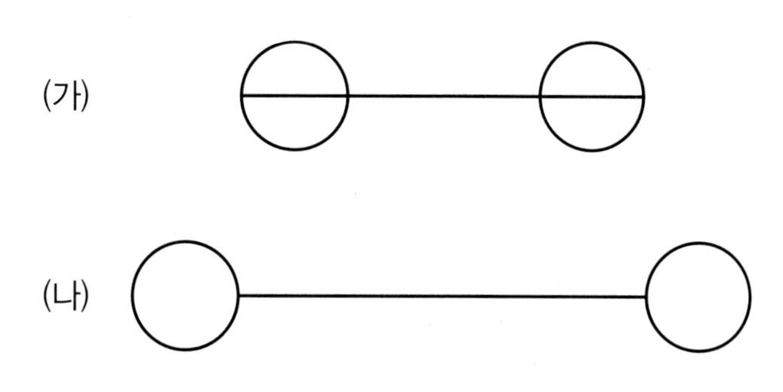

2 **1** 의 두 곧은 선의 길이를 비교할 수 있는 방법을 세 가지 적어보세요.

STEP 2 문제해결

1 다음은 입체적으로 그려진 파르테논 신전의 모습입니다. 가까운 곳의 기둥과 먼 곳의 기둥의 차이점을 적어보세요.

2 평평한 종이 위에 그린 **1** 의 그림이 입체적으로 보이는 이유를 적어보세요.

3 부록을 이용하여 다음과 같이 실험해보세요.

실험 1

① 착시 현상 부록 1(p.105)과 2(p.107)의 창문과 안쌤을 각각 오린다.
② 부록지 1의 (가)에 큰 창문을 (나)에 안쌤을 수직으로 접은 후 붙여서 세운다.
③ 부록지 2의 (가)에 작은 창문을 (나)에 안쌤을 수직으로 접은 후 붙여서 세운다.
④ 부록지 1과 2의 가운데에서 안쌤을 관찰하고 결과를 각각 그림으로 나타낸다.

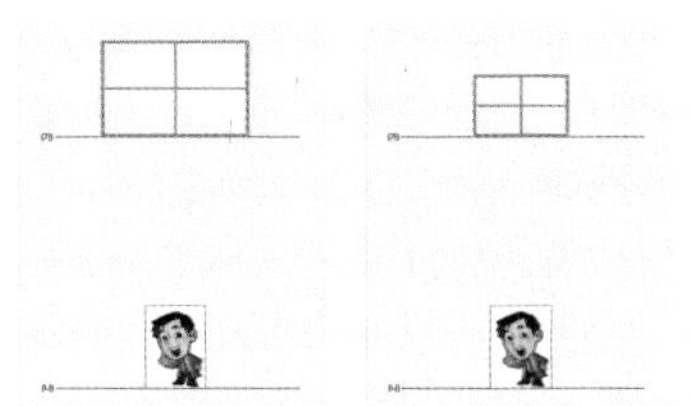

관찰 결과를 그림으로 나타내고 어떤 경우에 안쌤이 더 크게 보이는지 적어보세요.

▲ 착시 현상 부록 1의 안쌤 모습

▲ 착시 현상 부록 2의 안쌤 모습

융합사고

1 다음은 마인데르트 호베마의 '미델하르니스의 가로수길'이라는 그림의 일부입니다. 이 그림은 나무들의 크기가 입체적으로 보이도록 그린 그림으로 유명합니다. 다음 그림의 일부분을 활용해 입체적인 그림을 완성하세요.

2 도깨비 도로나 입체적으로 보이는 그림과 같이 실제와 다르게 보이는 착시 현상을 세 가지 적어보세요.

3 자동차가 빠르게 달리는 것을 막기 위해 설치하는 구조물을 과속방지턱이라고 합니다. 다음은 착시현상을 활용하여 과속방지턱의 역할을 하도록 만든 것입니다. 착시현상을 이용해 도로에 과속 방지턱과 같은 그림을 그려 두었을 때의 장점과 단점을 적어보세요.

- 장점 :

- 단점 :

탐구보고서

문제인식 1 STEP

1 탐구 주제 (제목)

문제해결 2 STEP

2 탐구 문제 (가설)

3 탐구 방법

④ 탐구 결과 및 결론

융합사고 3 STEP

⑤ 탐구에 대한 나의 의견 (고민, 아쉬운 점, 새로 알게 된 점, 더 알고 싶은 점)

활동 평가표

주제	내 눈이 일으키는 착각				
영역	평가 기준		평가 척도		
			우수	보통	노력 요함
활동 목표 성취	측정을 통해 길이를 비교할 수 있었다.				
	착시현상을 직접 관찰하여 착시현상을 이해하고 우리 주변의 착시현상을 찾을 수 있었다.				
	착시현상을 이용한 원근법을 이해하고, 표현할 수 있었다.				
	이 수업을 통해 통합능력과 의사소통능력이 향상되었다.				
융합 · 연계 분야 촉진	독창성	기존의 것에서 탈피하여 참신하고 독특한 아이디어를 제시하고 있다.			
	논리성	전개과정과 문제해결에서 전후가 명확하고 원인과 결과 및 사용되는 이론적 배경이 분명하다.			
	복합성	몇 가지의 상이한 요소, 부분, 다양한 단계들을 포함하고 있다.			
	표현력	사물이나 자연 및 사회 현상을 창의적으로 분명하게 표현하고 있다.			
	기능성 솜씨	이 산출물은 논리적으로 치밀하며, 도입 전개 결론에 이르는 전개과정이 높은 수준의 성취라고 할 수 있다.			
종합 및 기타 의견					

평가 시 유의사항

※ 활동 평가표는 팀별 프로젝트 활동 중 또는 활동이 끝난 후 작성한다.

※ 활동 평가표의 작성 및 평가 시 유의점은 아래와 같다.

- '평가 척도'는 우수, 보통, 노력 요함이며 해당되는 란에 ∨표 한다.
- 활동 목표는 이 수업을 통해 얻게 된 결과물을 중심으로 평가한다.
- 융합 · 연계분야 성취는 이 활동을 통해 얻게 되는 융합 교육적 효과를 중심으로 평가한다.
- 종합 및 기타 의견에는 수업과 관련한 특이사항 및 종합, 느낀 점, 기타 사항을 기술한다.

영재교육원 대비

안쌤의 창의적 문제해결력

수학 8

1·2 학년

STEP 1 문제인식

엘리베이터 버튼 설계하기

엘리베이터는 약 2300년 전 그리스의 아르키메데스가 개발한 도르래에서 시작된다. 우물에서 물을 길어 올리는 데 사용되던 도르래를 이용해 사람이나 화물을 운반하는 엘리베이터를 만들었기 때문이다. 하지만 줄이 끊어지면 곧바로 추락해 대형 사고가 발생하곤 했기 때문에 엘리베이터는 편리한 장치이기 보다는 위험한 장치에 가까웠다.
미국의 발명가 엘리샤 오티스는 '안전한 엘리베이터'를 발명했다. 엘리베이터가 운행 중 줄이 끊어지면 안전장치가 튀어나와 엘리베이터가 양 옆의 가이드레일에 있는 톱니에 걸리게 함으로써 추락을 방지한 것이다. 이것은 오늘날 우리가 엘리베이터를 안심하고 이용할 수 있도록 만들어준 기술이다.
오늘날 도시에서 사람들이 가장 많이 사용하는 운송수단은 무엇일까?
자동차? 지하철? 모두 아니다. 바로 엘리베이터이다. 적어도 하루에 10억 명 이상이 엘리베이터를 이용하고, 72시간마다 전 세계 인구를 실어 나른다고 한다. 이를 통해 얼마나 많은 사람들이 엘리베이터를 이용하는지 알 수 있다.

엘리베이터

1 빈칸에 들어갈 알맞은 수를 쓰고, 그 이유를 적어보세요.

❶ 1 4 ☐ ☐ 25

❷ 2 4 ☐ ☐ 32

2 다음 빈칸에 들어갈 알맞은 수를 쓰시오.

		15	16	25
12	11	10	17	24
7				23
6	5	4	19	
1	2			

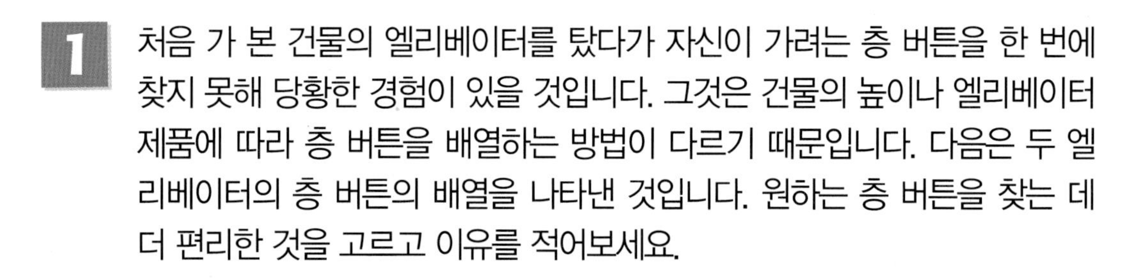

1 처음 가 본 건물의 엘리베이터를 탔다가 자신이 가려는 층 버튼을 한 번에 찾지 못해 당황한 경험이 있을 것입니다. 그것은 건물의 높이나 엘리베이터 제품에 따라 층 버튼을 배열하는 방법이 다르기 때문입니다. 다음은 두 엘리베이터의 층 버튼의 배열을 나타낸 것입니다. 원하는 층 버튼을 찾는 데 더 편리한 것을 고르고 이유를 적어보세요.

▲ A 아파트 엘리베이터

▲ B 빌딩 엘리베이터

2 엘리베이터의 층 버튼을 새로 만들어 배열하려고 합니다. 고려해야 할 요소를 다섯 가지 적어보세요.

3

2 에서 찾은 고려해야 할 요소를 감안하여 30층 건물에 사용될 엘리베이터의 층 버튼을 새롭게 설계하려고 합니다.

❶ 다음은 30층 건물에 사용되는 엘리베이터의 층 버튼을 배열할 수 있는 공간을 나타낸 것입니다. 빈 칸에 숫자를 써넣어 층 버튼을 완성하세요.

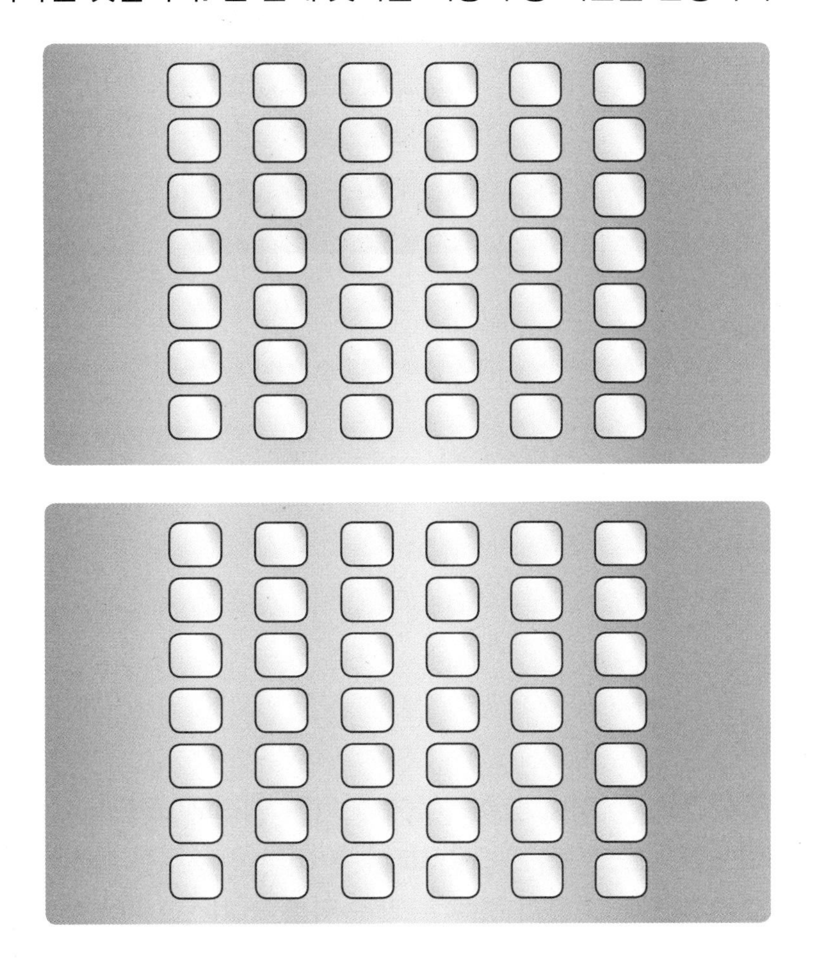

❷ 새롭게 만든 엘리베이터 층 버튼의 장점을 적어보세요.

STEP 3

융합사고

1 다음은 어느 건물의 엘리베이터 층 버튼의 모습입니다. 층 버튼을 보고 알 수 있는 사실을 세 가지 적어보세요.

2 오른쪽 사진은 어느 고층건물에 설치된 엘리베이터의 층 입력 터치 스크린의 모습입니다. 층 버튼을 누르는 대신 손으로 자신이 가고자 하는 층의 숫자를 터치스크린에 쓰면 입력되는 방법입니다. 이러한 방법의 장점과 단점을 적어보세요.

3 높은 층의 건물이나 대형쇼핑몰의 엘리베이터 타는 곳은 항상 사람들로 북적입니다. 엘리베이터를 타더라도 각 층마다 서다 보니 계단을 이용하는 것보다 느린 것처럼 느낀 적도 있습니다. 엘리베이터를 기다리는 시간을 줄일 수 있는 방법을 다섯 가지 적어보세요.

엘리베이터

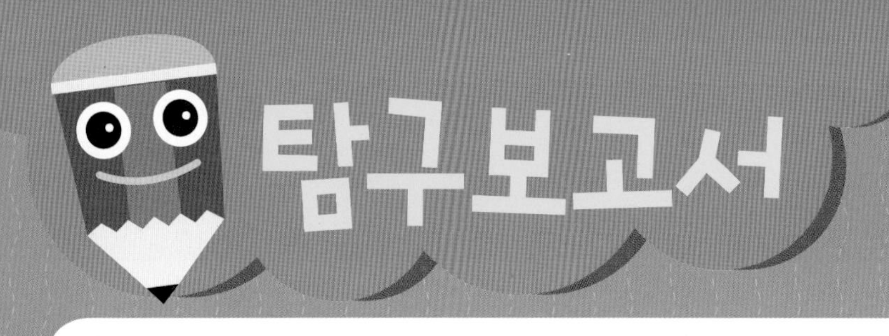

문제인식 1 STEP

❶ 탐구 주제 (제목)

문제해결 2 STEP

❷ 탐구 문제 (가설)

❸ 탐구 방법

4 탐구 결과 및 결론

유합사고 3 STEP

5 탐구에 대한 나의 의견 (고민, 아쉬운 점, 새로 알게 된 점, 더 알고 싶은 점)

활동 평가표

<table>
<tr><td>주제</td><td colspan="5">엘리베이터 버튼 설계하기</td></tr>
<tr><td rowspan="2">영역</td><td colspan="2" rowspan="2">평가 기준</td><td colspan="3">평가 척도</td></tr>
<tr><td>우수</td><td>보통</td><td>노력 요함</td></tr>
<tr><td rowspan="4">활동 목표 성취</td><td colspan="2">수들이 나열된 규칙성을 찾고, 그 규칙에 따라 수를 배열할 수 있었다.</td><td></td><td></td><td></td></tr>
<tr><td colspan="2">수 배열의 효율성을 이용해 새로운 엘리베이터 버튼을 배열하거나 새로운 엘리베이터 버튼의 모양을 디자인할 수 있었다.</td><td></td><td></td><td></td></tr>
<tr><td colspan="2">창의적인 아이디어로 엘리베이터를 기다리는 시간을 줄이는 방법을 찾을 수 있었다.</td><td></td><td></td><td></td></tr>
<tr><td colspan="2">이 수업을 통해 통합능력과 의사소통능력이 향상되었다.</td><td></td><td></td><td></td></tr>
<tr><td rowspan="5">융합 · 연계 분야 촉진</td><td>독창성</td><td>기존의 것에서 탈피하여 참신하고 독특한 아이디어를 제시하고 있다.</td><td></td><td></td><td></td></tr>
<tr><td>발전 가능성</td><td>앞으로 새로운 산출물을 만들어 낼 수 있는 새로운 아이디어들을 많이 시사해 주고 있다.</td><td></td><td></td><td></td></tr>
<tr><td>변형 가능성</td><td>사람들로 하여금 이 분야를 전혀 새로운 방식으로 보거나 생각하게 만들고 있다.</td><td></td><td></td><td></td></tr>
<tr><td>가치성</td><td>정보로서 가치 있고 중요한 것이라고 생각할 수 있다.</td><td></td><td></td><td></td></tr>
<tr><td>유용성</td><td>실제로 적용하여 사용할 수 있음이 분명하다.</td><td></td><td></td><td></td></tr>
<tr><td>종합 및 기타 의견</td><td colspan="5"></td></tr>
</table>

평가 시 유의사항

※ 활동 평가표는 팀별 프로젝트 활동 중 또는 활동이 끝난 후 작성한다.

※ 활동 평가표의 작성 및 평가 시 유의점은 아래와 같다.

- '평가 척도'는 우수, 보통, 노력 요함이며 해당되는 란에 ∨표 한다.
- 활동 목표는 이 수업을 통해 얻게 된 결과물을 중심으로 평가한다.
- 융합 · 연계분야 성취는 이 활동을 통해 얻게 되는 융합 교육적 효과를 중심으로 평가한다.
- 종합 및 기타 의견에는 수업과 관련한 특이사항 및 종합, 느낀 점, 기타 사항을 기술한다.

부록

안쌤이 추천하는 초등 수학 대회

[연간 진행되는 수학 대회 중 주요 대회 리스트]

4월 전국 초등수학 창의사고력대회
- 서울교육대학교 주최

9월 전국 초등수학 창의사고력대회
- 서울교육대학교 주최

10월 한국영재올림피아드
- 대교 주최
(한국수학교육학회, 한국과학교육학회 출제)

영재교육 창의적 산출물대회

01 전국 초등수학 창의사고력대회

목적

초등학교 수학교육과정의 정상적 운영을 위해 수학적 사고력, 창의적 문제해결능력 등을 알아보며, 본 대회를 통하여 초등학교 수학교육과정의 정상적 운영에 기여한다.

- **주최 :** 서울교육대학교
- **주관 :** 기초과학연구원

대상 및 참가인원

- 대상 : 전국 초등학교 3, 4, 5, 6학년 학생
- 참가인원 : 각 학년 당 선착순 800명 내외
- 참가비 : 36,000원(접수비 6,000원 포함)

경시대회 일시 및 장소

- 상반기 4월 셋째주 일요일 / 하반기 9월 셋째주 일요일
  (4, 6학년 10 : 00 ~ 12 : 00 / 3, 5학년 14 : 30 ~ 16 : 30)
- 시험장소 : 서울교육대학교
- 시험방법 : 1, 2교시로 나누어 실시
  (1교시 : 객관식 5지 선다형, 2교시 : 창의사고력을 요하는 주관식)

출제안내

- 출제범위 : 하위 학년 전(全) 과정부터 해당 학년 시험 당일 이전 단원

구분	문항수	문제유형	시험시간	출제 경향
1교시 객관식	20문항	5지 선다형	50분	계산력, 이해력 등을 알아볼 수 있는 교과연계형 위주의 사고력 문제
2교시 주관식	3문항	단답형	50분	심화 교과과정 위주의 사고력 문제
	2문항	서술형		종합적 사고력과 문제해결력을 평가할 수 있는 문제

- 출제위원 : 서울교대 수학교육과 교수진으로 구성
- 접수기간 : 상반기 3월 ~ 4월 / 하반기 8월 ~ 9월

기출 유형 문제

3~4학년

1 길이가 20 km인 강이 있다. 이 강물의 속력은 시속 2 km이고 배의 속력이 시속 3 km일 때, 강물을 흘러가는 방향으로 배를 타고 강을 다 내려가는 데 걸리는 시간을 구하시오. 또, 강물을 거슬러 올라가는 방향으로 배를 타고 강을 다 올라가는 데 걸리는 시간을 구하시오.

5~6학년

1 다음 ?에 들어갈 수를 쓰시오.

$$3 \cdot 4 = 14$$
$$5 \cdot 5 = 25$$
$$2 \cdot 6 = 32$$
$$8 \cdot 5 = ?$$

2 다음 문자식을 해석하여 숫자식으로 나타내시오.

```
  O R A N G E
-   A P P L E
-------------
    M E L O N
```

02 영재교육 창의적 산출물대회

목적

- 창의적 문제해결능력, 성취감 및 창의성 계발 동기 부여
- 영재교육 지도방법에 대한 이해 및 교수 · 학습방법 개선
- 연구과제 수행을 통한 영역별 잠재능력 계발

일시 및 장소

- 기간 : 10월 말 ~ 11월 초
- 장소 : 서울특별시과학전시관
- 주최 / 주관 : 서울특별시교육청, 서울특별시과학전시관

참가 대상

서울시교육청 지정 영재교육기관에서 영재교육을 받고 있는 학생 중 운영기관 자체 선발대회를 거쳐 선정된 학생과 지도교사

추진 일정

일정	추진 사항	비고
7월	운영계획 수립 및 대회 안내 공문 발송	영재교육기관 전체
9~10월	• 영재교육기관 자체 선발대회 통한 초 · 중등 우수 팀(학생) 선발 • 세부추진계획 수립 · 운영	영재교육기관별
11월	• 대회 참가 지도교사 지도사례보고서 수합 • 학생 창의적 산출물 보고서 및 포트폴리오 수합 • 영재교육 창의적 산출물대회 개최	
12월	대회 평가 및 결과보고서 발간	

운영방법

- 팀 구성 : 지도교사 1인과 학생 4인 이내로 구성
- 탐구 주제 : 각 팀에서 자유롭게 선정(기존 발표작과 중복되지 않는 주제, 창의적 사고력을 신장할 수 있는 주제, 연구과제 수행을 통해 결론을 도출할 수 있는 주제)
- 발표 시간 : 학생은 10분간 공동 발표, 5분간 질의응답(지도교사, 학생)
- 제출물
  - 포트폴리오, 학생 성찰일지, 지도교사 지도사례보고서
  - 출력물 및 CD(내용물을 저장하여 같이 제출)

심사 규정

• 배점

구분	배점
지도교사 지도사례보고서 및 지도교사 구두 발표	30
학생 산출물 포트폴리오	30
창의적 산출물 보고서 및 학생 구두 발표	40
계	100

• 평가 기준

<table>
<tr><th>심사항목</th><th colspan="3">평가기준</th><th colspan="2">배점</th></tr>
<tr><td rowspan="4">지도교사 지도사례 보고서 및 구두발표</td><td rowspan="3">보고서</td><td>창의성</td><td>학생들의 창의적 사고력을 신장시키는 지도활동을 사용하였는가?</td><td>5</td><td rowspan="4">30</td></tr>
<tr><td>개별화 수업전략</td><td>학생 개인의 요구와 특성을 고려하여 지도하였는가?</td><td>5</td></tr>
<tr><td>지도교사의 전문성</td><td>학생지도전략 사용 타당성 및 이론적 근거에 대해 지도교사가 인식하고 있는가?</td><td>10</td></tr>
<tr><td>발표</td><td>의사소통 능력</td><td>• 탐구지도과정을 상세하고 명확하게 표현하는가?
• 발표시간을 지켜 발표하는가?</td><td>10</td></tr>
<tr><td rowspan="4">학생산출물 포트폴리오</td><td colspan="2">구성</td><td>• 다양하고 수준 있는 유의미하고 타당한 자료를 활용하였는가?
• 자료들이 체계적으로 구성되었는가?</td><td>8</td><td rowspan="4">30</td></tr>
<tr><td colspan="2">과제수행</td><td>• 문제 인식 및 주제 선정 : 의미가 있으면서 해결 가능한 주제를 선정하였는가?
• 과제 설계 및 수행 : 실행 가능한 탐구(문제해결)과정을 체계적으로 설계하고, 탐구(문제해결) 활동을 수행하였는가?
• 자료 분석 및 해석 : 탐구결과를 논리적으로 타당하게 해석하였는가?
• 결론 도출 및 평가 : 결론 도출 과정이 합리적이고 논리적인가?</td><td>10</td></tr>
<tr><td colspan="2">협동성</td><td>• 활동의 전 과정에서 팀원들 간의 협력과 노력의 흔적이 나타나는가?
• 모든 구성원들이 과제 수행에 도움을 주었으며, 서로를 존중하였는가?</td><td>7</td></tr>
<tr><td colspan="2">반성과정</td><td>• 자신들의 강점과 약점을 보고하는가?
• 팀원들과 함께 활동에 대한 반성의 기회를 가지는가?</td><td>5</td></tr>
<tr><td rowspan="4">창의적 산출물 보고서 및 구두발표</td><td rowspan="3">보고서</td><td>독창성</td><td>• 또래 학생들이 제시한 산출물에서 새롭고 독특한 아이디어를 제시하는가?
• 교과별로 가치 있는 산출물인가?
• 앞으로 새로운 산출물을 만들어 낼 수 있는 새로운 아이디어를 많이 시사해주고 있는가?</td><td>5</td><td rowspan="4">30</td></tr>
<tr><td>논리성</td><td>• 탐구과정이 논리적으로 타당한가?
• 탐구과정이 유기적으로 관련되어 전체적으로 일관된 느낌을 주는가?</td><td>5</td></tr>
<tr><td>표현력</td><td>• 의도하는 요구와 관심에 대하여 연구목적이 달성되었는가?
• 탐구목적, 방법, 결과 및 해석이 분명하고 충분히 설명되어 이해하기 쉬운가?</td><td>10</td></tr>
<tr><td>발표</td><td>의사소통 능력</td><td>• 연구결과와 결론을 설득력 있게, 독창적으로 제시하였는가?
• 자신들의 개념이해 수준을 적절한 용어를 활용하여 표현하고 있는가?
• 발표시간을 지켜서 발표하는가?</td><td>10</td></tr>
</table>

03 한국영재올림피아드

목적

기초 과학 분야의 영재를 조기에 발굴하여 국가 차원에서 필요로 하는 인재로 양성하기 위하여 개최되는 대회이다. 이 대회는 기업의 이윤을 사회에 환원하는 장학사업의 일환으로, 창의적인 평가 문항 개발 및 체계적인 결과 분석을 통하여 우리나라 교육 평가의 수준을 한 차원 높이고, 우리나라 영재교육 발전을 도모하는데 그 목적이 있다.

- 대회 일시 : 10월 둘째주 토요일(수학 90분 / 과학 70분)
- 시험장소 : 전국 지정 고사장 동시 시행
- 실시 과목 : 수학, 과학(1인 2과목 응시 가능)
- 대상 학년 : 초등 3학년 ~ 중학 2학년

문항 출제 및 채점

- 수학 : 한국수학교육학회
- 과학 : 한국과학교육학회

참가자격

★ 학교추천(교사추천)을 받은 학생(각 학교 학급 수에 따라 학년별, 과목별 10명 이내)

★ 대학교 또는 교육청이 운영하는 영재교육원 / 영재학급 재학생 및 수료생

★ 최근 2년간 전국 규모의 수학 / 과학 부문 경시대회에서 개인자격으로 응시하여 입상한 학생(단, 수상과목에 한하여 지원가능)

★ 작년 한국영재올림피아드 수상자

출제안내

구분	수학	과학
평가 목적	• 학업성취능력이 우수한 수학 영재 판별 – 고도의 수학적 사고 능력 파악 – 다양한 수학적 지식을 바탕으로 한 문제해결능력 파악	• 학업성취능력이 우수한 과학 영재 판별 – 고도의 과학적 사고 능력 파악 – 과학적 사고력을 바탕으로 한 창의적인 문제해결능력 파악
평가 영역	• 정보 조직력 · 직관적 통찰력 • 논리적 추론력 · 공간 지각력 • 문제해결력	• 물질 영역 · 생명 영역 • 지구 영역 · 에너지 영역 • 통합교과 영역
문항 구성 유형 및 시간	• 주관식 : 단답형 17문항, 서술형 3문항 • 답지형식 : OMR 답안지 사용 • 시험시간 : 90분	• 주관식 : 5지선다형 16문항, 복수정답형 12문항 • 답지형식 : OMR 답안지 사용 • 시험시간 : 70분
출제 범위	• 학교 교육과정의 범위와 진도를 참조하여 출제함 • 과학의 경우 생활 과학 포함	

출제문항 유형

초등 3학년

1 쌓기나무를 쌓은 모양이 오른쪽 그림과 같습니다. 이것을 위에서 본 모양이 다음과 같을 때, 쌓기나무는 최대로 몇 개입니까?

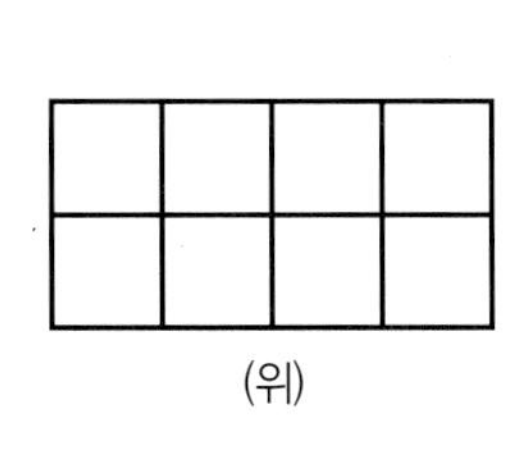
(위)

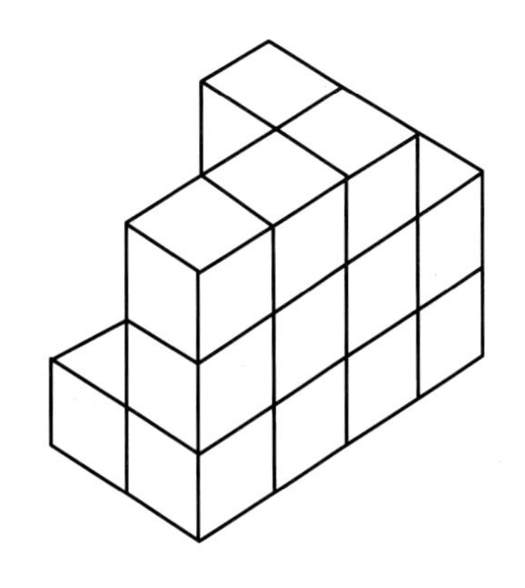

2 철수는 몇 명의 친구들에게 똑같이 사탕을 나누어 준 후, 첫 번째 친구에게서 1개, 두 번째 친구에게서 2개, 세 번째 친구에게서 3개, … 와 같이 차례로 사탕을 걷어 들였습니다. 사탕을 가장 많이 가진 친구는 가장 적게 가진 친구의 2배의 사탕을 갖게 되었으며, 처음에 나누어 준 사탕의 수는 돌려받은 사탕의 수의 3배였습니다. 철수가 처음에 나누어 준 사탕은 몇 개입니까?

초등 4학년

1 다음 덧셈식에서 같은 문자는 같은 숫자이고, 다른 문자는 다른 숫자입니다. 이 덧셈식에서 사용되지 않은 숫자로 만들 수 있는 가장 큰 세 자리 수는 무엇입니까?

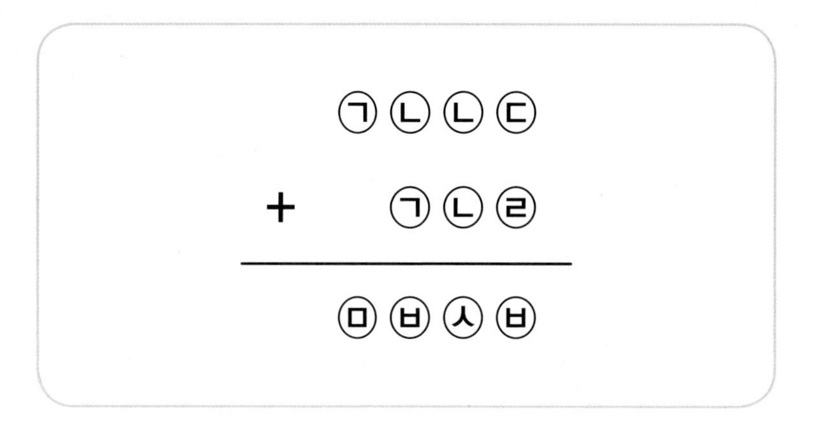

2 세 자리 수 중에서 각 자리 숫자가 서로 다르면서 왼쪽에서 오른쪽으로 갈수록 작아지는 것은 모두 몇 개입니까?

2강. 모빌 만들기 부록

※ 부록을 마분지에 붙이고 자른 후, 반으로 접어 풀로 붙여서 사용하세요.

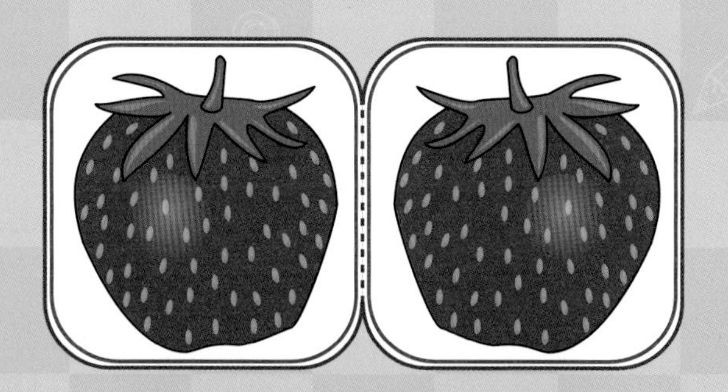

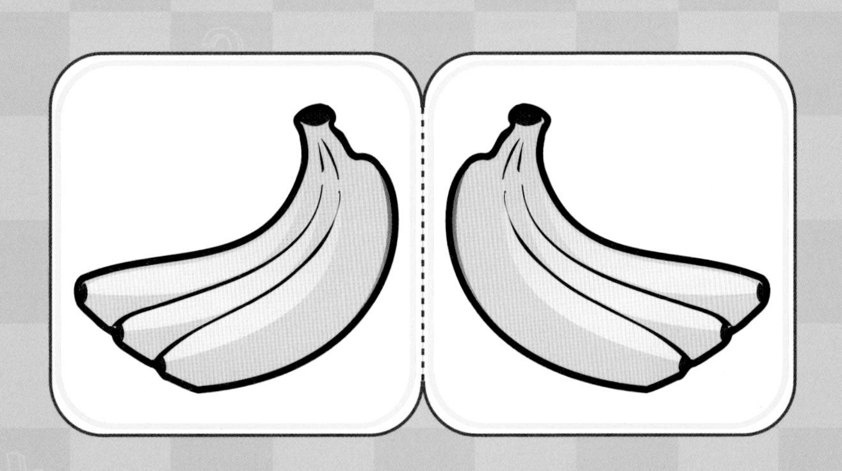

안쌤의 영재교육원 영재학급 관찰추천제 대비

창의적 문제해결력 수학

3강. 바둑 게임 부록 Ⅰ

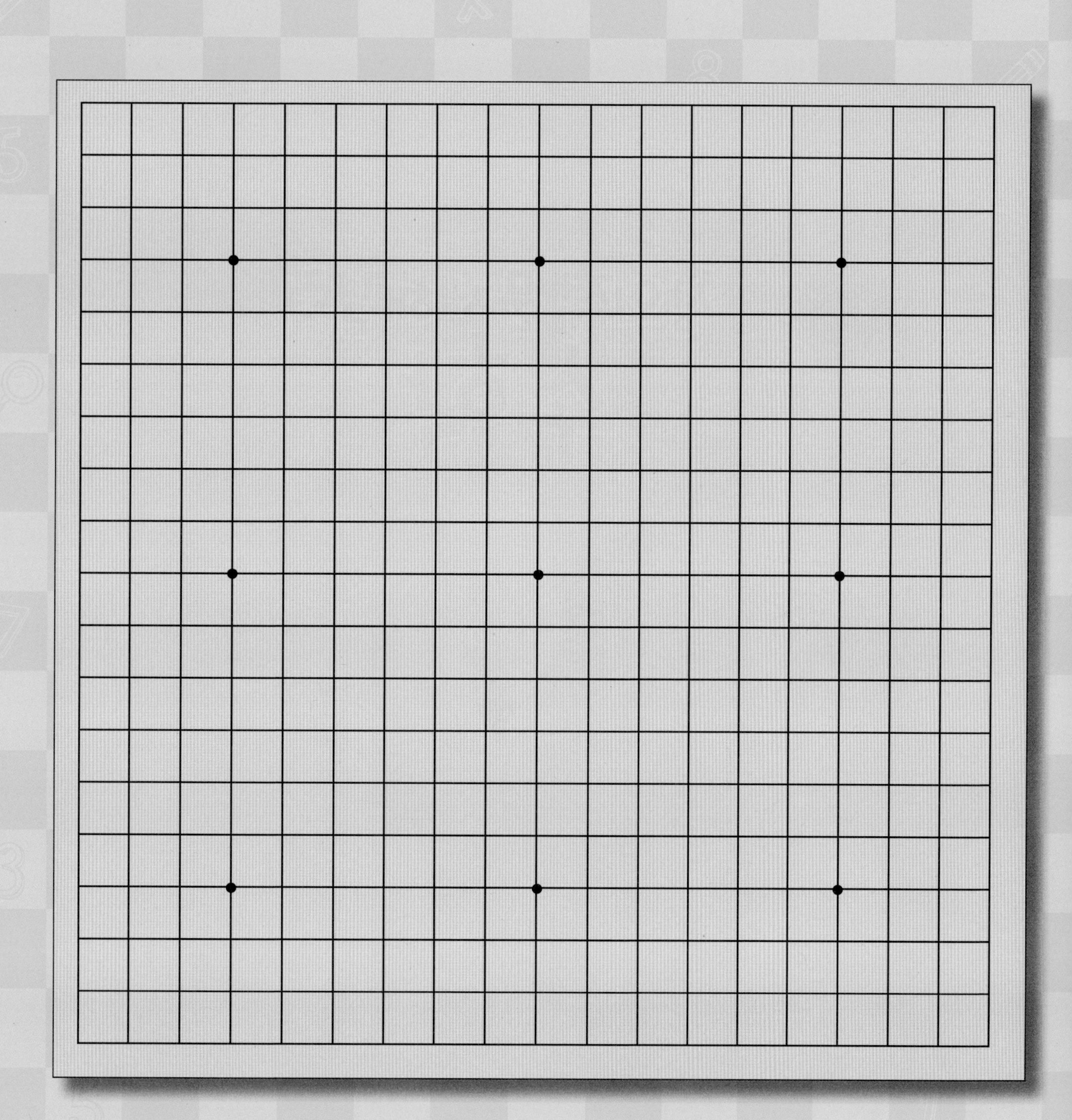

안쌤의 영재교육원 영재학급 관찰추천제 대비

창의적 문제해결력 수학

3강. 바둑 게임 부록 2

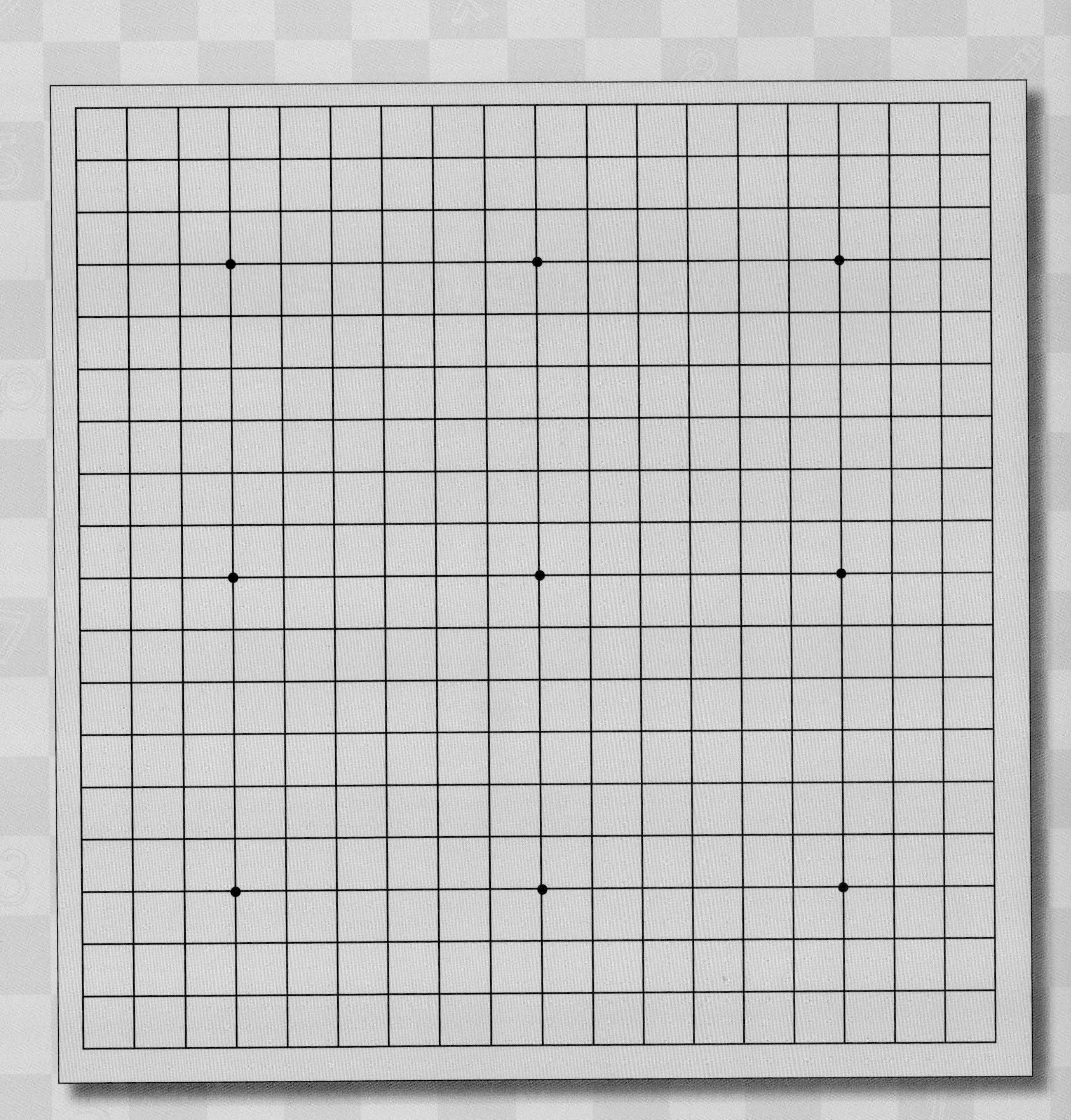

안쌤의 영재교육원 영재학급 관찰추천제 대비

창의적 문제해결력 수학

3강. 색칠하기 게임 부록

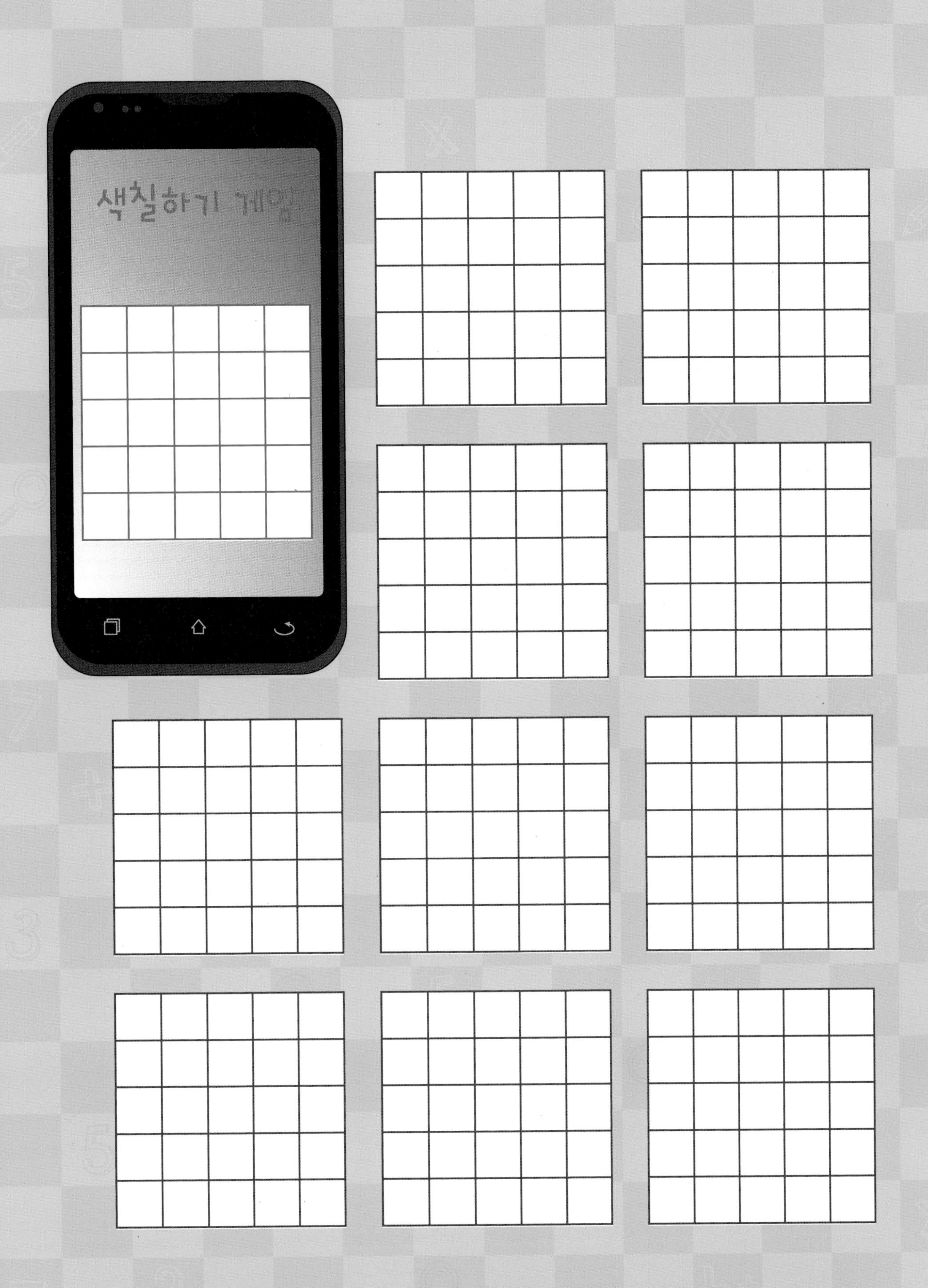

안쌤의 영재교육원 영재학급 관찰추천제 대비

창의적 문제해결력 수학

7강. 착시현상 부록 I

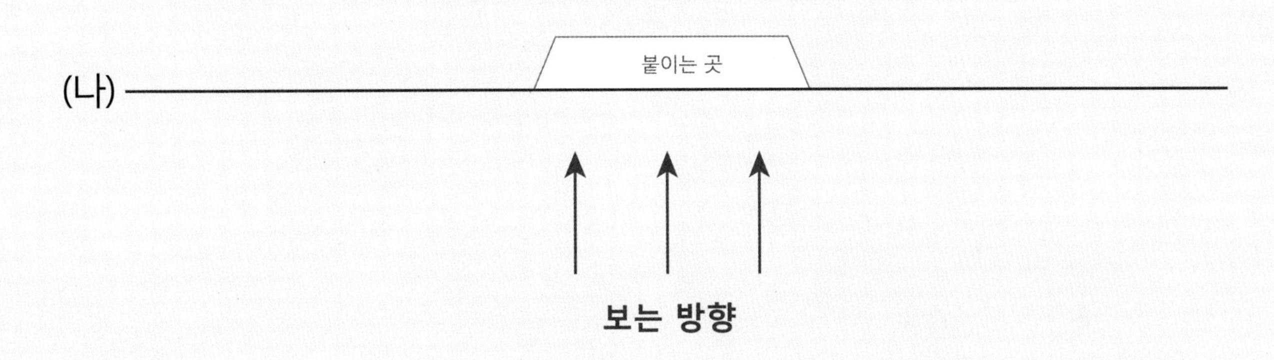

자르는 곳

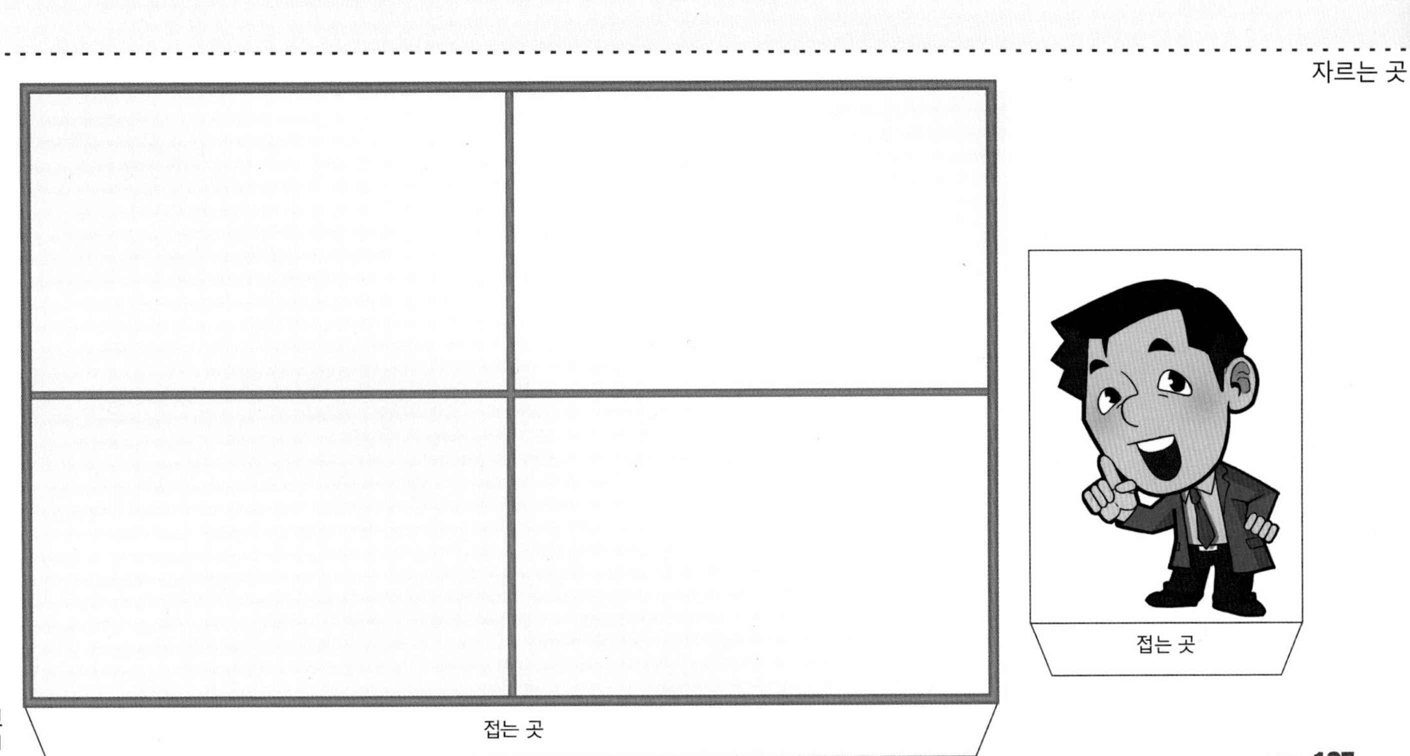

자르는 곳

안쌤의 영재교육원 영재학급 관찰추천제 대비
창의적 문제해결력
수학

7강. 착시현상 부록 2

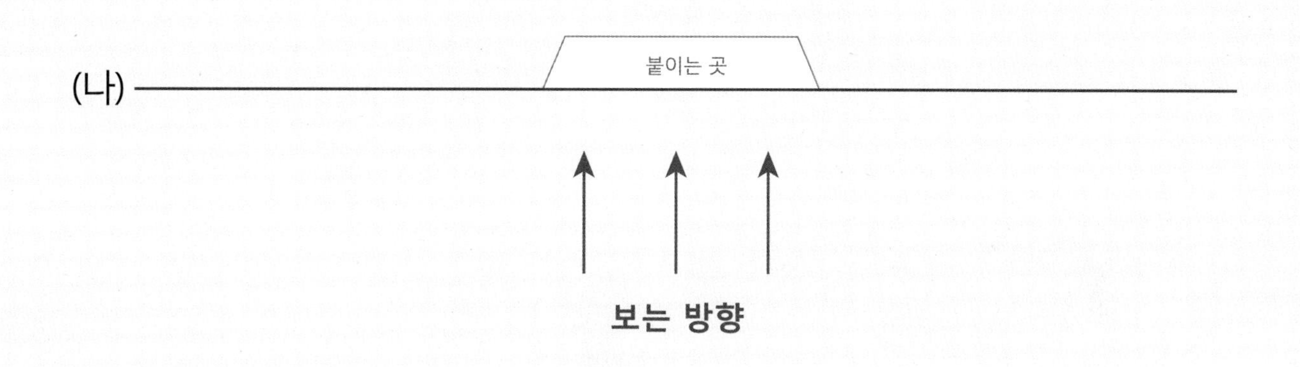

보는 방향

자르는 곳

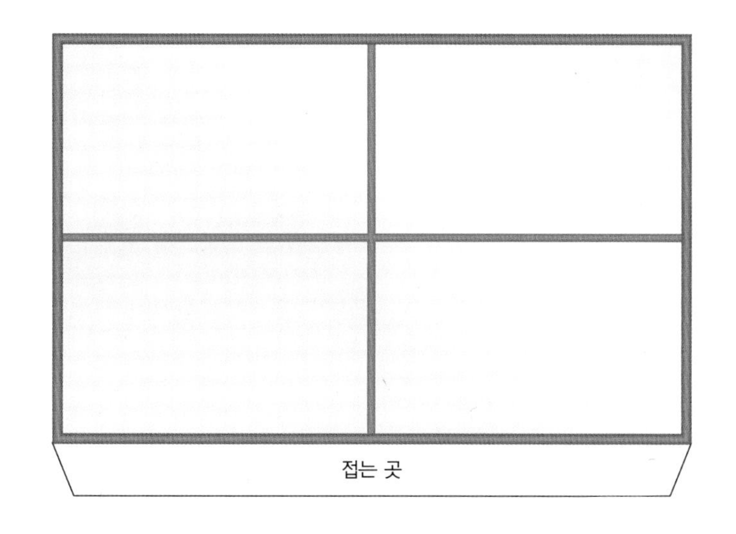

자르는 곳

안쌤의 영재교육원 영재학급 관찰추천제 대비
창의적 문제해결력
수학

안쌤의
줄기과학 시리즈

새 교육과정
3~4학년
영역별
STEAM 과학

에너지와 지구 Ⅰ 16강

물질과 생명 Ⅰ 16강

새 교육과정
5~6학년
영역별
STEAM 과학

에너지와 지구 Ⅱ 16강

물질과 생명 Ⅱ 16강

물리 24강

화학 16강

생명과학 16강

지구과학 16강

안쌤의 영재교육원 영재학급 관찰추천제 대비

창의적 문제해결력 수학

정답 및 해설

1·2
학년

매스티안

안쌤 영재교육연구소

상위 1%가 되는 길로 안내하는 이정표로, 학생들이 꿈을 이루어갈 수 있도록 콘텐츠 개발과 강의 연구를 하고 있다.

매월 안쌤의 실시간 강의 수강생 모집

저자 **안쌤 영재교육연구소**

안재범, 최은화, 이상호, 강미선, 조영부, 전희원, 김형진, 이윤정, 신혜진, 변희원, 유나영

검수

권영경, 안혜정, 이경미, 이진실, 장시영, 정회은

이 교재에 도움을 주신 선생님

강수남, 김영균, 김정환, 김지영, 김진선, 김진영, 김혜선, 노관호, 류수진, 박기훈, 박미경, 박선재, 박지숙, 어유선, 윤소영, 이미영, 이상호, 이석영, 이아란, 전익찬, 전현정, 정영숙, 정회은, 조지흔

영재교육원 대비

안쌤의 창의적 문제해결력 수학

정답 및 해설

1·2 학년

STEP 1 문제 인식

모범답안

1

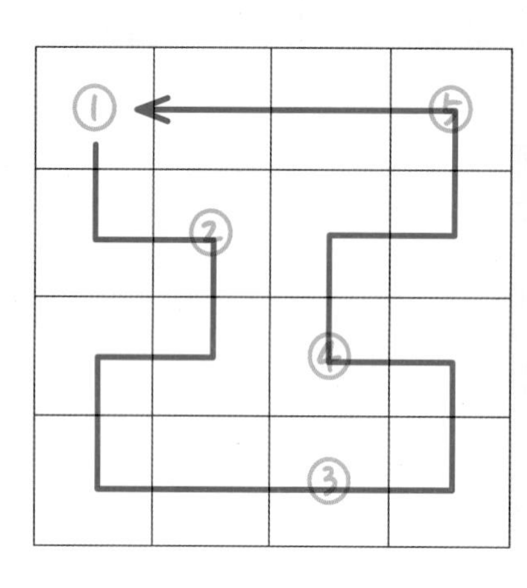

해설 숫자를 순서대로 지나며 모든 칸을 지나야 한다.

모범답안

2

청소기	①	②	③	④
①	②	②	④	⑥
③	②	③	⑤	②
④	⑤	⑤	⑥	⑦
⑤	⑦	⑥	⑤	충전기

STEP 2 문제 해결

모범답안

1 시작 ↷ ↑ ↑ ↶ ↑ ↷

모범답안

2 ① 비봇이 A까지 가는 가장 빠른 길은 모두 6가지이다.

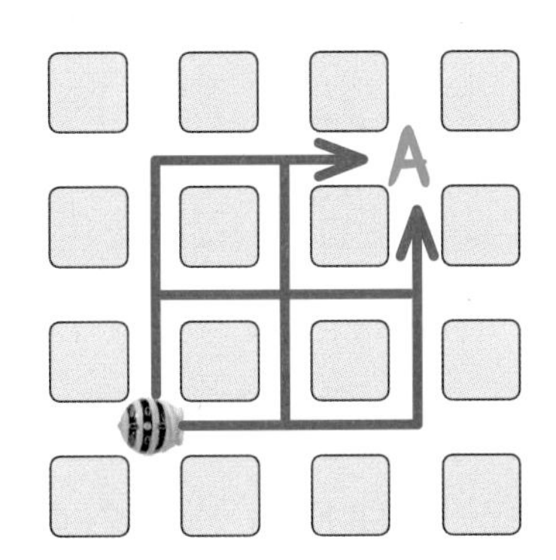

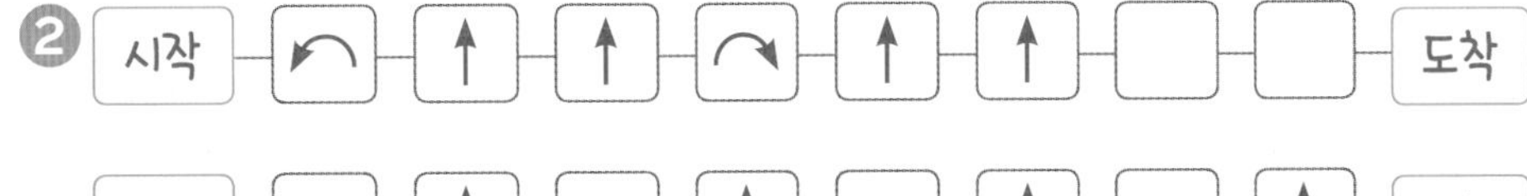

시작 ↑ ↶ ↑ ↷ ↑ ↶ ↑ [ ] 도착

시작 ↑ ↶ ↑ ↑ ↷ ↑ [ ] [ ] 도착

해설 비봇의 위치를 '시작'이라 하고 A까지 가는 경로를 단순하게 그리면 다음과 같다. 동그라미 숫자는 시작 지점에서 각 지점까지 가는 경로의 가짓수이다.

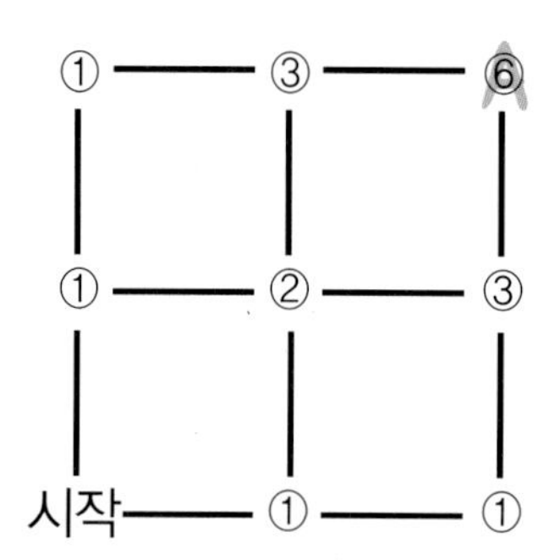

STEP 3 융합 사고

예시답안

1

- A 청소기가 더 효과적이다. 한번 지나간 길을 다시 지나가지 않고 모든 바닥을 빠짐없이 지나가기 때문에 청소하는데 시간이 적게 걸리고 전기도 아낄 수 있기 때문이다.
- B 청소기가 더 효과적이다. 주로 먼지가 많이 모여 있는 구석을 집중적으로 청소하며 같은 곳을 여러 번 지나가며 청소하기 때문에 더 깨끗하게 청소가 될 것이기 때문이다.

해설 로봇 청소기가 움직이는 방법은 크게 랜덤 방식과 맵핑 방식의 두 가지로 나눌 수 있다. 랜덤 방식은 길찾기 로봇을 연구하며 만들어진 방법으로, 장애물을 만나면 어떻게 이동할지 미리 입력해 두고 그 방식대로 움직인다. 단순히 장애물을 피해 움직이므로 효율적이지 못한 단점이 있다. 맵핑 방식은 청소기에 달린 센서가 어느 방향으로 얼마나 이동하였는지를 기억해 이동하는 방법으로, 처음에 기억한 것과 다르게 새로운 장애물이 나타나거나 출발점이 달라지면 처음부터 새롭게 기억해야 하는 단점이 있다. 최근에는 이러한 단점을 보완하여 카메라 센서를 부착한 청소기가 개발되었다. 맵핑 방식을 이용해 짧은 시간에 효율적으로 청소하는 것은 A 청소기이다. 한번 지나간 곳은 다시 지나가지 않기 때문에 청소가 깨끗하게 되지 않을 수도 있다. 랜덤 방식을 이용해 오랜 시간 깨끗하게 청소하는 것은 B 청소기이다. 어느 청소기를 선택하든 선택한 근거가 타당해야 한다.

예시답안

2
- 구석진 부분도 청소를 할 수 있도록 네모난 모양이나 세모난 모양으로 로봇 청소기를 만든다.
- 솔을 달아 구석진 부분의 먼지를 쓸어낼 수 있도록 만든다.

▲ 세모 청소기

▲ 네모 청소기

▲ 솔 달린 청소기

해설 • 청소기의 모양을 다르게 하여 구석구석 청소가 가능하도록 만들 수 있다. 대부분 건물의 모서리는 각진 모양이므로 구석의 모양에 알맞은 모양으로 청소기를 만들 수 있다.
• 청소기의 모양은 바꾸지 않고 새로운 기능이나 도구를 추가해 청소를 잘 하도록 만들 수도 있다. 최근 출시되는 대부분의 로봇 청소기에는 솔을 달아 구석구석 깨끗하게 청소할 수 있도록 한다.

수평을 이용한 모빌 만들기

STEP 1 문제 인식

모범답안

1

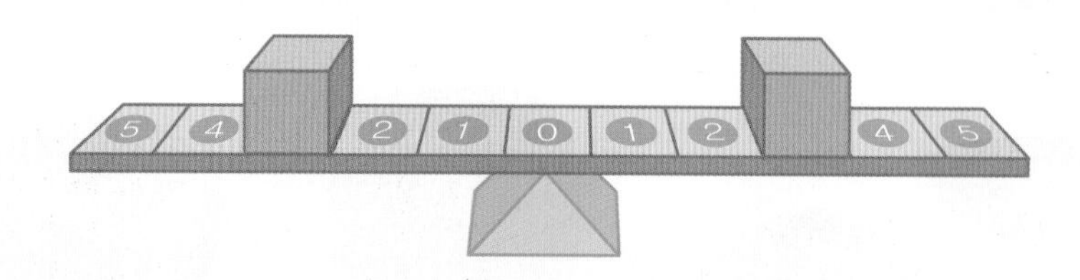

무게가 같은 물체이므로 받침대로부터 같은 거리에 있어야 수평을 맞출 수 있다.

해설 무게가 같은 물체는 중심으로부터 같은 위치에 놓아두면 수평이 된다. 수평을 이루도록 하는 것을 수평잡기라고 한다.

모범답안

2 ② 방향으로 옮겨야 한다. 물체 (가)가 더 가볍기 때문에 받침대로부터 멀리 옮겨야 수평을 이룰 수 있다.

해설 무게가 서로 다른 물체를 시소에 올리면 무거운 물체가 아래쪽으로 내려간다. 이때 수평을 이루려면 무거운 물체를 시소 중심 가까이로 옮기거나 가벼운 물체를 시소 중심으로부터 먼 쪽으로 옮겨야 한다. 물체 (가)가 위로 올라간 것으로 보아 더 가벼운 물체이므로 수평을 이루기 위해서는 물체 (가)를 중심으로부터 먼 쪽으로 옮겨야 한다.

STEP 2 문제 해결

예시답안

1 ①

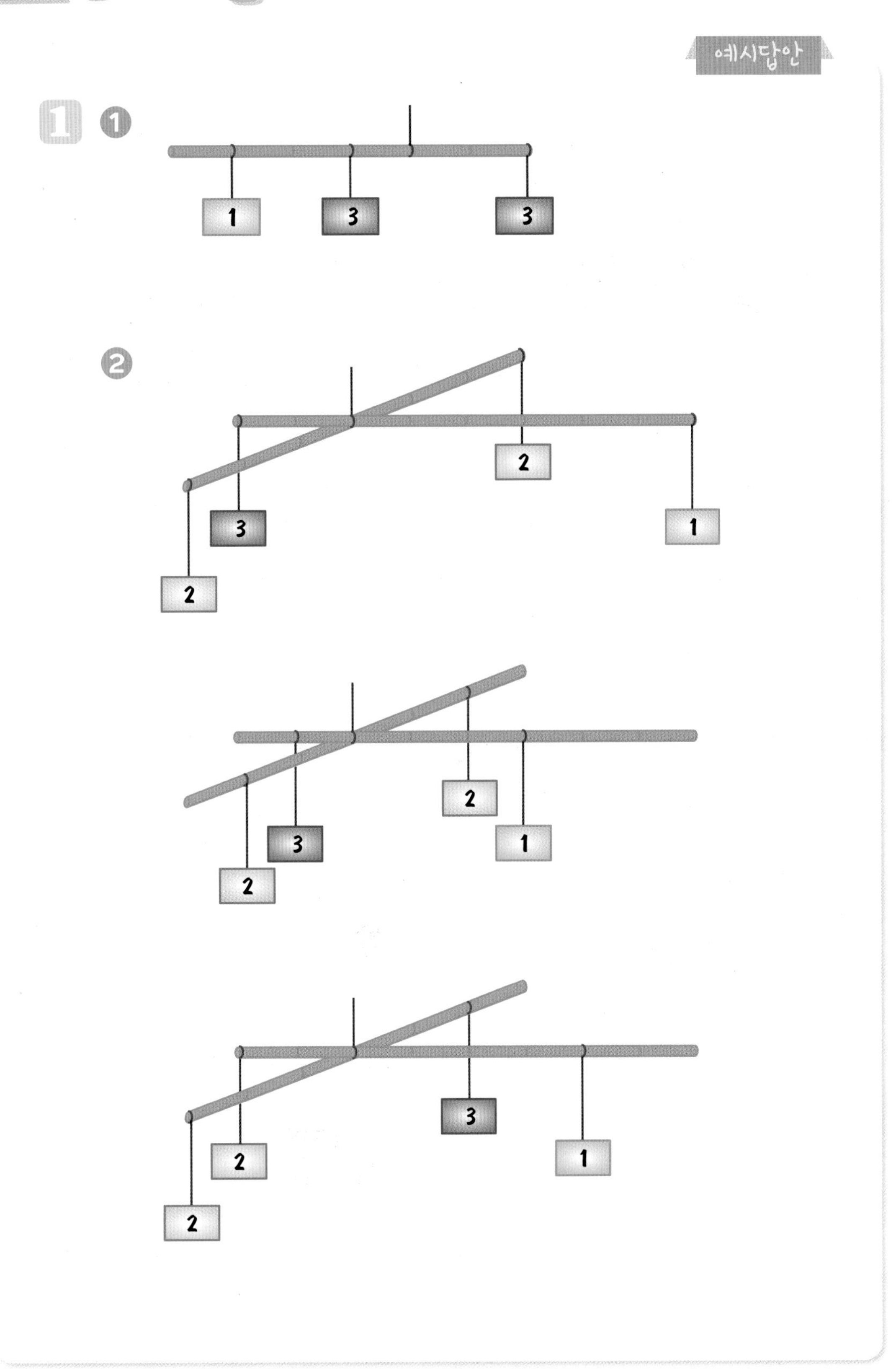

해설 ① 물체를 매단 줄에서 물체까지의 거리와 물체의 무게를 곱한 값이 오른쪽과 왼쪽이 서로 같아지도록 만들면 모빌이 수평을 이룬다. 중심에서 3칸 떨어진 곳에 무게가 2인 물체를 매달면 $3\times2=6$으로 계산한다.

$(1\times3)+(1\times3)=(2\times3)$이 되므로 수평을 이룬다.

② 막대가 2개 이상인 경우 각 막대가 수평을 이루도록 맞춘다.

- 첫 번째 예시답안 : $(3\times2)=(3\times2)$, $(2\times3)=(6\times1)$이 되므로 수평을 이룬다.
- 두 번째 예시답안 : $(2\times2)=(2\times2)$, $(1\times3)=(3\times1)$이 되므로 수평을 이룬다.
- 세 번째 예시답안 : $(2\times2)=(2\times2)$, $(2\times2)=(4\times1)$이 되므로 수평을 이룬다.

예시답안

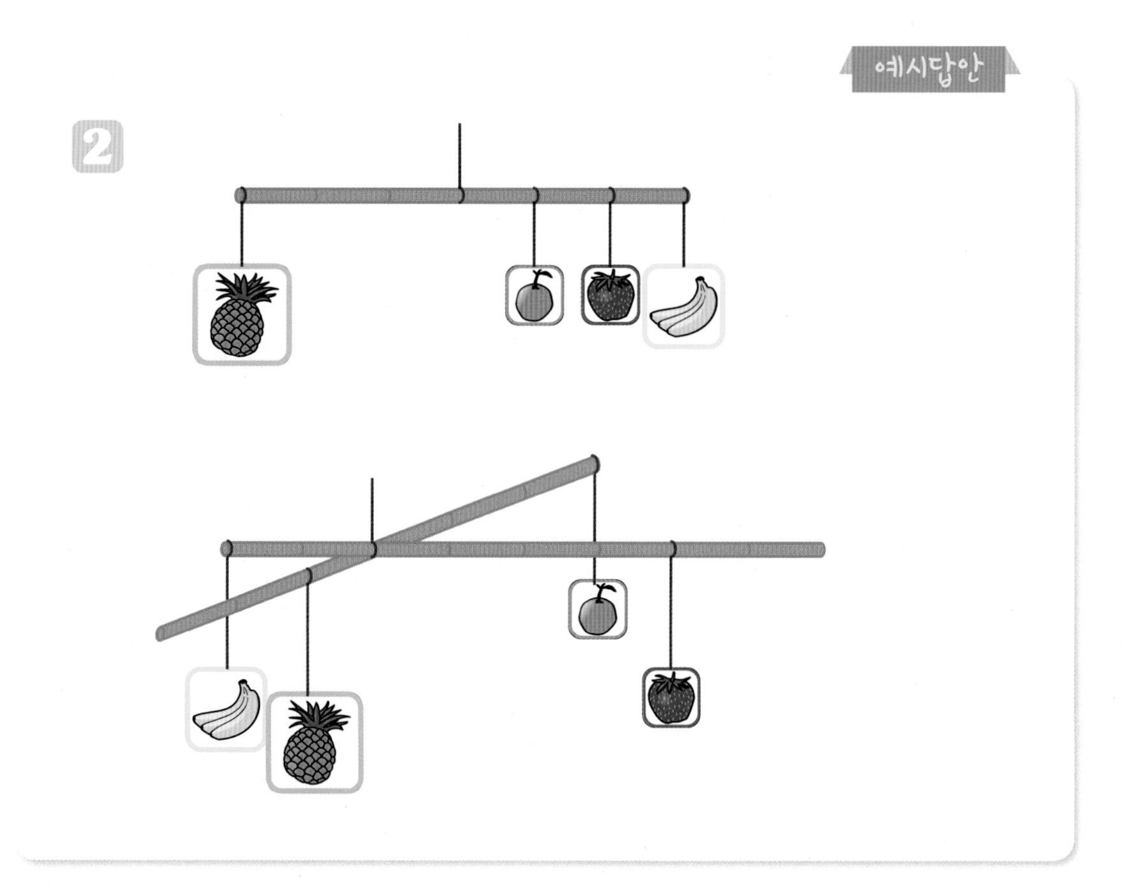

해설 무게가 같은 오렌지와 딸기의 위치는 서로 바뀔 수 있으며 다양한 답이 나올 수 있다. 중심으로부터 막대의 양쪽의 물체를 매단 위치와 물체의 무게의 곱을 합한 값이 오른쪽과 왼쪽이 같아지도록 배열한다.

- 첫 번째 예시답안 : $(3\times3)=(1\times1)+(2\times1)+(3\times2)$이 되므로 수평을 이룬다.
- 두 번째 예시답안 : $(2\times2)=(4\times1)$, $(1\times3)=(3\times1)$이 되므로 수평을 이룬다.

STEP 3 융합 사고

예시답안

1
- 사과 무게를 측정해 비교한다.
- 사과 둘레의 길이가 가장 긴 사과를 고른다.
- 사과 지름이 가장 긴 것을 고른다.
- 물이 가득 담긴 그릇에 사과를 담그고 물이 넘친 양을 비교해 가장 많은 물이 넘친 사과를 고른다.
- 사과를 평평한 곳에 두고 키가 큰(높이가 높은) 사과를 고른다.

해설 물에 사과를 넣으면 사과의 일부가 잠기면서 물이 넘친다. 사과가 클수록 잠기는 부분이 많으므로 물이 많이 넘친다.

예시답안

2
- 두 도형을 오려내어 무게를 비교한다.
- 두 도형을 겹쳐 남는 부분의 넓이를 비교한다.
- 콩이나 동전과 같은 크기가 작고 일정한 물건으로 도형을 채워 넓이를 비교한다.
- 두 도형을 작은 칸이 그려진 모눈종이에 올려놓고 모눈종이의 작은 칸의 개수를 새어 넓이를 비교한다.

해설 모빌을 만들 때는 물체의 무게를 알아야 한다. 길이 비교, 넓이 비교, 들이 비교 등을 통해 물체의 무게를 비교할 수 있다.

예시답안

3
- 교실에서 자리를 정할 때
- 사람, 물건, 건물 등을 찾을 때
- 건물을 만들기 위해 기둥이나 벽을 세울 때
- 높은 곳에 있는 물건을 꺼낼 때
- 사람이나 물건이 통과할 수 있는 문을 만들 때
- 계단의 난간이나 창문의 높이를 정할 때
- 동물원의 울타리 높이를 정할 때
- 어린이 농구대나 축구 골대의 높이를 정할 때

해설 실생활에서 길이 비교가 필요한 경우를 찾아 비교하기의 중요성과 수학의 유용성을 생각해본다. 실생활에서 일어날 수 있는 다양한 길이 비교 상황을 찾아 구체적으로 찾아본다.

수학과 바둑이 만나다

STEP 1 문제 인식

모범답안

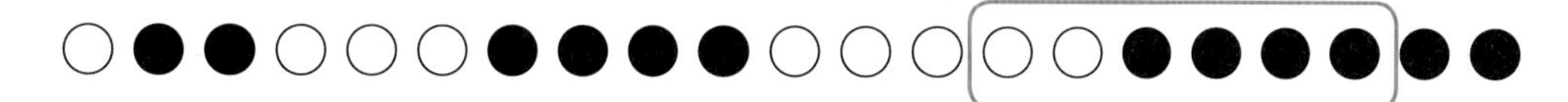

흰색 돌과 검은색 돌이 1, 2, 3, 4, 5, 6개의 순서로 놓여 있는 규칙이다.

해설 놓여진 바둑돌의 규칙은 흰색 돌이 1개, 검은색 돌이 2개, 흰색 돌이 3개, 검은색 돌이 4개,……의 순서로 반복된다. ( ) 안에 들어갈 바둑돌은 흰색 2개와 검은색 4개가 순서대로 들어가야 한다.

모범답안

2

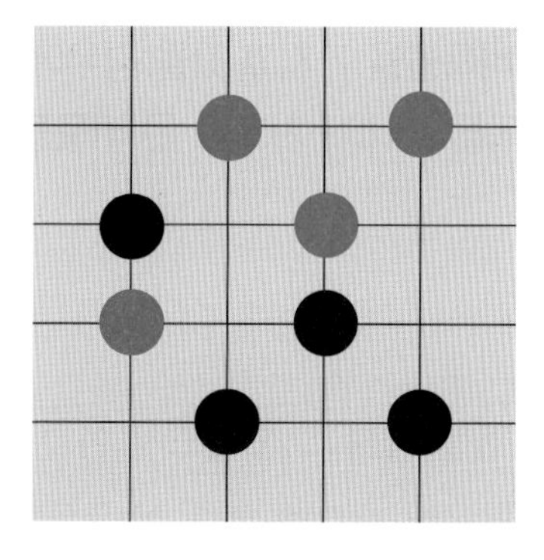

최대 4개까지 놓을 수 있다.

해설 가로와 세로, 대각선 모두 같은 줄에 바둑돌이 3개가 놓이지 않아야 한다.

STEP 2 문제 해결

모범답안

1 상대방이 먼저 바둑돌을 가지고 가도록 하고 상대방이 1개의 바둑돌을 가지고 갔을 경우에는 나머지 2개를, 상대방이 2개의 바둑돌을 가지고 갔을 경우에는 나머지 1개의 바둑돌을 가지고 오면 반드시 이긴다.

해설 3개의 바둑돌 중 마지막 바둑돌을 가지는 사람이 이기는 게임이므로 상대방이 먼저 1개를 가지고 갈 경우 나머지 2개의 바둑돌을 가지고 가면 이기고, 상대방이 먼저 2개의 바둑돌을 가지고 갈 경우 나머지 1개의 바둑돌을 가지고 가면 이긴다. 반드시 이기기 위해서는 상대방이 먼저 바둑돌을 가지고 갈 수 있도록 해야 한다.

모범답안

2 내가 먼저 1개의 바둑돌을 가지고 온 후 상대방이 1개의 바둑돌을 가지고 갔을 경우에는 2개를 가져오고 상대방이 2개의 바둑돌을 가지고 갔을 경우에는 1개를 가지고 온다. 이후 상대방이 가지고 간 바둑돌과 내가 가지고 온 바둑돌의 합이 3이 되도록 가지고 온다.

해설 1 의 문제에서 3개의 바둑돌 중 마지막 바둑돌을 가지고 가 반드시 이기는 방법을 생각해 보았다. 그와 마찬가지로 주어진 바둑돌을 3개씩 묶어 생각해 본다. 바둑돌은 모두 10개로 3개씩 묶으면 1개가 남게 되므로 먼저 시작해 1개의 바둑돌을 가지고 가고, 상대방이 1개의 바둑돌을 가지면 2개, 상대방이 2개의 바둑돌을 가지면 1개의 바둑돌을 가지고 오면 반드시 이길 수 있다. 상대방이 가지고 간 바둑돌과 내가 가지고 오는 바둑돌의 합이 항상 3이 되도록 한다. 이 게임에서 반드시 이길려면 내가 먼저 게임을 시작해야 한다.

예시답안

3 ❶

★ 게임 1

• 게임 방법

① 2명이 바둑돌의 흰색 돌과 검은색 돌을 하나씩 잡는다.

② 각각 바둑판의 끝선에 바둑돌을 올려놓는다.

③ 바둑돌을 손가락으로 튕겨 바둑판의 반대쪽 끝선에 가깝게 위치한 돌의 주인이 이긴다.

• 게임 규칙

① 바둑돌이 바둑판 바닥으로 떨어졌을 경우 진다.

② 상대방의 바둑돌을 쳐서 바둑판 밖으로 떨어뜨릴 수도 있다.

★ 게임 2

• 게임 방법

① 2명이 바둑돌의 흰색 돌과 검은색 돌을 하나씩 잡는다.

② 서로 번갈아가며 사각형 안에 바둑돌을 채워 넣는다. 처음 놓은 바둑돌 주위의 8칸에만 바둑돌을 놓을 수 있으며 놓여진 바둑돌과 가로, 세로, 대각선으로 이어진 칸에만 다음 돌을 놓을 수 있다.

③ 바둑돌을 더 이상 채울 수 없게 되면 바둑판 위의 바둑돌의 개수와 자신이 차지한 사각형의 개수를 세어 더 많은 땅을 차지한 사람이 이긴다.

• 게임 규칙

① 바둑돌을 이어서 놓을 수 있고, 상대방 바둑돌을 뛰어넘을 수 없다.

② 바둑돌이 놓여 있지는 않지만 상대방이 돌을 놓지 못하는 사각형은 내가 차지한 땅으로 본다.

❷

• 게임 1 : 끝선 밟기

바둑돌의 위치가 반대편 끝에 가까울수록 이기는 게임이기 때문이다.

• 게임 2 : 바둑땅따먹기

바둑판 위의 더 넓은 땅을 차지하는 사람이 이기는 게임이기 때문이다.

해설 ① 알까기나 오목과 같은 기존의 게임에 창의적인 아이디어를 추가해 새로운 게임을 만들거나 전혀 새로운 게임을 만들 수 있다. 게임에 참여하는 사람의 수가 적당하고, 쉽고 재미있으며 공정한 방법으로 승부를 가릴 수 있어야 한다.

② 게임과 전혀 관계없는 이름이 아니어야 한다. 게임의 특징이나 게임 방법을 게임의 이름을 통해 예상할 수 있어야 한다.

STEP 3 융합 사고

모범답안

1

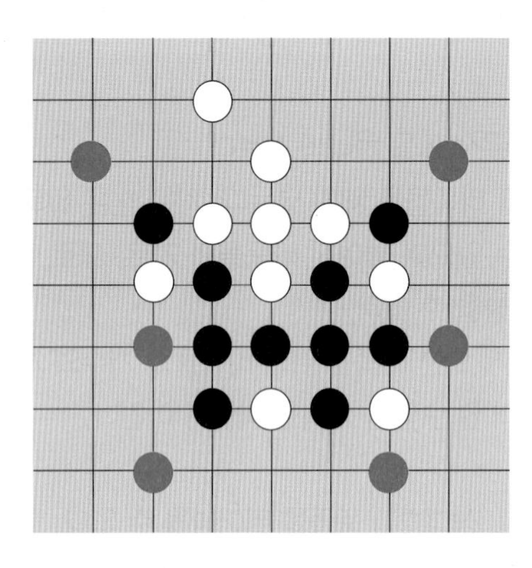

해설 검은색 바둑돌을 1개 더 놓아 검은색 바둑돌이 가로, 세로, 대각선으로 5개가 될 수 있는 곳을 찾아 모두 표시한다.

모범답안

2

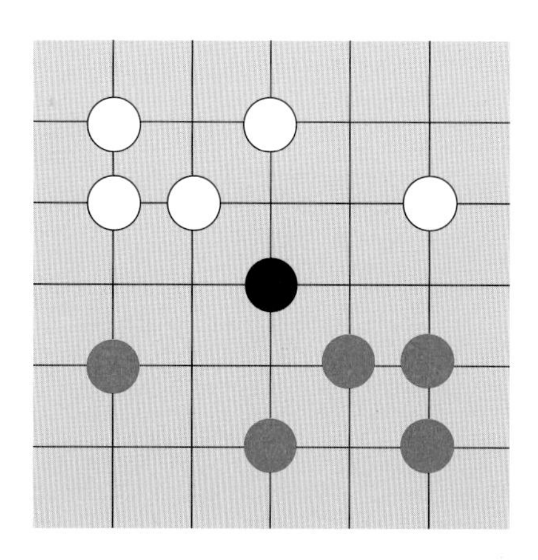

해설 가운데에 놓인 검은색 바둑돌을 중심으로 반대(대칭)가 되도록 검은색 바둑돌을 그린다. 반대가 되는 위치를 찾는 방법은 흰색 바둑돌에서 가운데 바둑돌을 잇는 곧은 선을 그어보면 된다.

예시답안

3

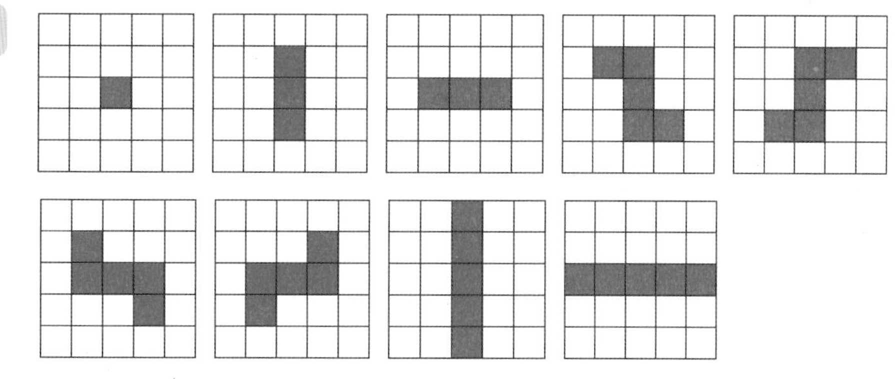

해설 한 번에 5칸까지 칠할 수 있으므로 가운데 칸을 반드시 포함하여 칠할 수 있는 경우는 모두 9가지이다. 가운데 칸을 중심으로 반대(대칭)가 되도록 칠해야 한다.

STEP 1 문제 인식

예시답안

 ①

• 공통점

– 뾰족한 부분(꼭짓점)이 있다.

– 사각형이 있다

• 차이점

– 왼쪽 도형은 평면도형이고 오른쪽 도형은 입체도형이다.

– 왼쪽 도형은 초록색이고 오른쪽 도형은 파란색이다.

②

• 공통점

– 입체도형이다.

• 차이점

– 왼쪽 도형에는 뾰족한 부분(꼭짓점)이 없지만 오른쪽 도형에는 뾰족한 부분(꼭짓점)이 있다.

– 왼쪽 도형에는 사각형이 없지만 오른쪽 도형에는 사각형이 있다.

– 왼쪽 도형에는 원이 있지만 오른쪽 도형에는 원이 없다.

• 왼쪽 도형은 빨간색이고 오른쪽 도형은 주황색이다.

해설 사람마다 다르게 느낄 수 있는 감촉이나 느낌보다는 객관적인 모양에 따른 공통점과 차이점을 찾는다. 초등학교 2학년까지는 사각형이나 삼각형, 원과 같은 용어로 도형을 표현하지 않기 때문에 그림을 그리거나 적절한 단어를 사용해도 된다.

STEP 2 문제 해결

예시답안

1

분류 기준	평면도형	입체도형
분류 결과	(가), (바), (사), (아)	(나), (다), (라), (마)

분류 기준	뾰족한 부분(꼭짓점)이 있는 도형	뾰족한 부분(꼭짓점)이 없는 도형
분류 결과	(가), (나), (라), (마), (바), (아)	(다), (사)

해설 분류는 같은 성질을 가진 것끼리 종류별로 나눈 것으로 물체의 차이점을 이용한다. 분류의 기준은 누가 분류하든 같은 결과가 나올 만한 객관적인 것이어야 하며, 주어진 모든 사물을 분류할 수 있어야 한다.

예시답안

2

- 기준 1 : 동전의 크기를 비교하여 동전을 분류한다.
- 방법 : 동전이 지나갈 수 있는 통로를 만들고 통로의 바닥에 크기가 다른 구멍을 뚫는다. 작은 크기의 구멍부터 뚫어 크기가 작은 동전부터 순서대로 분류되도록 한다.
- 결과 : 10원, 50원, 100원, 500원의 크기 순서로 분류된다.

- 기준 2 : 동전의 무게를 비교하여 동전을 분류한다.
- 방법 : 동전이 하나씩 지나갈 수 있는 통로를 만들고 통로에 동전의 무게에 따라 다른 방향으로 동전을 보내주는 장치를 만든다. 무거운 동전부터 분류되도록 한다.
- 결과 : 500원, 100원, 50원, 10원의 무게 순서로 분류된다.

- 기준 3 : 동전의 모양 차이를 비교하여 동전을 분류한다.
- 방법 : 동전의 표면 모양을 인식할 수 있는 카메라나 센서를 이용해 동전 표면의 모양에 따라 동전이 분류되도록 한다.
- 결과 : 동전 표면 모양에 따라 500원, 100원, 50원, 10원으로 분류된다.

- 기준 4 : 동전을 만드는 데 사용된 성분(금속)의 차이를 이용해 동전을 분류한다.
- 방법 : 동전에 전류를 흘려보내어 동전에 사용된 성분(금속)에 따라 동전이 분류되도록 한다. 500원과 100원, 50원, 10원으로 분류된다.
- 결과 : 전류가 흐르는 정도에 따라 500원, 100원, 50원, 10원으로 분류된다.

해설 방울토마토나 귤처럼 크기가 작은 과일은 다양한 크기의 구멍이 뚫린 과일선별기를 통과하면서 크기대로 분류된다. 사과나 수박처럼 크기가 큰 과일은 하나씩 무게를 재어 무게별로 분류된다. 자판기는 동전에 전류를 흘려보내 전류가 흐르는 정도로 동전의 금액을 확인한다. 정해진 전류 범위 외에 전류값이 나오면 불량 동전으로 인식하고 밖으로 돌려보낸다.

STEP 3 융합 사고

예시답안

1

분류 기준	꽃이 피어 있는 식물	열매를 맺은 식물
분류 결과	(가), (나)	(다), (라)

분류 기준	봄에 볼 수 있는 식물의 모습	가을에 볼 수 있는 식물의 모습
분류 결과	(가), (나)	(다), (라)

분류 기준	풀에 해당하는 식물	나무에 해당하는 식물
분류 결과	(가), (다)	(나), (라)

해설 풀과 나무, 볼 수 있는 시기, 일년생과 다년생 등의 다양한 분류 기준을 정할 수 있다. 실제로 식물을 분류하는 기준으로는 꽃이 피는지 피지 않는지, 꽃에 씨방(씨가 될 밑씨가 있는 곳)이 있는지 없는지, 떡잎은 1장인지 2장인지, 어떤 방법으로 꽃가루가 퍼지는지 등이 있다.

모범답안

2

- 레몬 : 레몬은 과일이므로 과일 칸으로 옮긴다.
- 고등어 : 고등어는 바다에서 나는 수산물이므로 수산 칸으로 옮긴다.
- 한우 : 한우는 축산 칸으로 옮긴다.
- 멸치 : 멸치는 수산 칸으로 옮긴다.

해설 분류 기준에 따라 물건들의 분류가 잘 이루어 졌는지 확인한다. 상위 분류 기준의 의미(양곡, 과일, 채소, 축산 등)를 잘 모르더라도 함께 모여 있는 물건들을 서로 비교해보면 잘못 분류된 물건과 그 물건의 적절한 위치를 찾을 수 있다. 분류 기준에 따라 물건들의 분류가 잘 이루어 졌는지 확인한다.

예시답안

3

- 시장이나 쇼핑몰에서는 같은 종류의 물건을 판매하는 상점이나 매장을 가까이 모아 둔다. 손님이 필요한 물건에 따라 쉽게 상점이나 매장을 찾을 수 있고, 물건들을 쉽게 비교해 볼 수 있다.
- 마트나 슈퍼에서는 상품을 종류별로 분류하여 진열해 둔다. 손님들이 필요한 물건을 쉽게 찾을 수 있고, 같은 종류의 다양한 물건을 한자리에서 비교해 볼 수 있다. 물건을 진열하거나 관리하기도 편리하다.
- 서점이나 도서관은 책들을 종류별로 분류하여 진열해 둔다. 책을 찾는 사람들이 쉽게 책을 찾을 수 있다.
- 과일가게의 사과가 크기별로 분류되어 있다. 크기별로 가격을 다르게 정할 수 있고, 사과를 사는 사람은 모두 확인하지 않더라도 같은 크기로 분류된 사과의 크기를 쉽게 가늠해 볼 수 있다.

해설 도서관은 책마다 분류코드가 붙어 있어 비슷한 내용의 책들을 분류해 둔다. 사람들이 쉽게 책을 찾을 수 있고, 도서관을 관리하는 사람들도 책을 쉽게 관리할 수 있다.
분류 기준은 객관적인 것으로 모든 요소를 분류할 수 있어야 한다. 하지만 그 기준을 정하는 것은 사람이므로 지금 사용하고 있는 분류가 절대적인 것은 아니다.

자전거 사고를 줄여보자

STEP 1 문제 인식

모범답안

1

학년	1	2	3	4	5	6
자전거로 통학하는 학생 수(명)	9	18	27	36	45	54

학년별 자전거로 통학하는 학생 수는 학년에 9를 곱한 수이다.

해설 학년이 올라갈수록 자전거를 타고 통학하는 학생의 수가 일정하게 증가한다. 증가하는 정도를 살펴보면 학년에 9를 곱하는 규칙으로 증가한다.

모범답안

2

구분		일	월	화	수	목	금	토
자전거 사고 수(건)	첫째 주	13	6	3	8	6	15	10
	둘째 주	14	5	5	6	8	17	12

첫째 주의 자전거 사고 수를 보면 다른 요일보다 금, 토, 일요일에 자전거 사고가 많이 일어난 것을 확인할 수 있다. 특히 금요일에 자전거 사고 수가 가장 많은 것으로 보아 둘째 주 금요일 자전거 사고 수는 17건 일 것이다.

해설 자전거 사고 수를 정확히 예상하는 것은 불가능하다. 자전거 사고 수가 달라질 수 있는 여러 가지 요인이 있기 때문이다. 주어진 자료를 이용해 금요일에 일어날 자전거 사고 수를 예상해 보고 수학적인 근거를 들어 설명한다. 일주일 중 금요일에 가장 많은 사고가 일어났으며 하루에 일어난 자전거 사고 수가 20건을 넘긴 날이 없으므로 17건 정도로 예상해 볼 수 있다.

자전거 사고를 줄여보자

문제 조건이 주어진 자료를 이용해 수학적으로 예상하는 것이므로 '큰 사고가 일어나 100건의 사고가 발생했다'와 같은 답안은 인정하지 않는다.

STEP 2 문제 해결

예시답안

1

연도	2010년	2011년	2012년	2013년	2014년	…	2020년
자전거 수(대)	258	315	389	492	682	…	약 1200대 예상
자전거 사고 수(건)	6	9	12	14	22	…	47

표를 통해 이 마을의 자전거의 수가 많아질수록 자전거 사고의 수도 늘어나는 것을 알 수 있다. 이러한 상태가 지속 된다면 자전거의 수가 약 1200대로 예상되는 2020년에는 자전거 사고의 수도 늘어나 약 47건 정도의 사고가 일어날 것으로 예상해 볼 수 있다.

해설 자전거 대수의 약 2.5~3 % 정도에서 시작해 자전거의 대수가 증가할수록 자전거 사고 수도 증가한다. 표를 보고 자료의 흐름을 파악하고 앞으로 나타날 자료를 수학적 근거에 의해 예상해본다.

모범답안

2 B 마을의 자전거 사고 발생 정도가 더 심각하다. 두 마을의 인구는 A 마을이 2배 이상 많지만 자전거 사고 수는 오히려 B 마을이 2배 많기 때문이다. 인구와 사고 수를 감안해 보았을 때, B 마을의 자전거 사고 발생 정도가 더 심각하다고 할 수 있다.

해설 사고 수와 인구 사이의 관계를 고려해야 한다.

예시답안

- 어두워지기 시작하는 오후 4~6시에 사고가 많이 발생하므로 자전거에 전구를 달아 눈에 잘 띄게 한다.
- 앞을 잘 살피지 않아 발생하는 사고가 많으므로 자전거를 타는 동안 집중하고 스마트폰을 하거나 음악을 듣지 않는다.
- 교통법규를 위반하거나 자전거 운전 미숙을 발생한 사고가 많으므로 자전거 운전면허를 만들어 교통법규를 알려주고 자전거를 탈 때 생기는 위험에 대해 교육한다.
- 자전거 고장으로 인한 사고가 발생하지 않도록 자전거를 타기 전에 잘 점검한다.
- 골목길에서 사고가 많이 일어나므로 골목길을 다닐 때는 특히 주의하고 자전거 전용 도로를 이용한다.

해설
- 자전거 사고는 5월~10월에 많이 발생한다.
- 요일별 사고 현황을 보면 주말이 시작되는 금요일에 자전거 사고 발생이 가장 많았고 주말인 일요일의 경우 가장 사고가 적게 발생하는 것으로 나타났다.
- 시간대별로는 오후 4시~6시 사이에 가장 많은 사고가 발생한다.
- 자전거 사고를 낸 사람은 남자가 많고 사고를 당한 사람은 여자가 더 많다. 자전거 사고를 낸 사람의 경우 15~20세의 청소년의 수가 가장 많다.
- 자전거 사고를 낸 사람의 절반 이상이 교통법규를 지키지 않았다.
- 자전거 사고가 난 가장 큰 이유는 앞을 잘 살피지 않고 운전했기 때문이다.
- 자전거를 운전하던 중 상황을 잘못 파악하거나 자전거의 고장으로 인한 사고도 많다.
- 자전거 전용 도로가 있는 곳 보다 자전거 전용 도로가 없는 곳에서 더 많은 사고가 발생한다.
- 자동차 들이 빠른 속도로 달리는 큰 도로보다 좁은 골목길에서 더 많은 사고가 발생한다.
- 자전거 운전이 미숙하여 발생하는 사고도 많다.

자전거 사고를 줄여보자

STEP 3 융합 사고

예시답안

1

- 천천히 달리면 정지거리를 줄일 수 있다.
- 공주거리를 줄이기 위해 운전을 하거나 자전거를 탈 때 집중한다.
- 제동거리를 줄이기 위해 성능이 좋은 브레이크를 사용한다.
- 위험이 언제 나타날지 알 수 없으므로 항상 앞을 잘 살핀다.
- 제동거리를 줄이기 위해 마찰이 좋은 타이어를 사용한다.
- 자전거를 가볍게 하여 제동거리를 줄이다.

해설 자전거를 가볍게 하면 자전거를 멈추게 하는 데 작은 힘이 들기 때문에 제동거리를 줄일 수 있다.

예시답안

2

- 법이 정한 속도보다 빠른 속도로 달려 병원에 가야 한다. 법을 지키는 것보다 동생의 건강이 더 중요하다고 생각하기 때문이다.
- 법이 정한 속도보다 빠른 속도로 달려 병원에 가야 한다. 동생이 아픈 것은 특별한 경우이므로 한 번 정도는 법을 어겨도 괜찮다고 생각한다.
- 제한 속도를 지켜야 한다고 생각한다. 제한 속도를 지키지 않으면 사고가 날 확률이 높아져 다른 사람이 다칠 수 있기 때문이다.
- 제한 속도를 지켜야 한다고 생각한다. 너도나도 특별한 경우라고 법을 어기게 되면 모두 제한 속도를 지키지 않아 위험해 지기 때문이다.

해설 답안을 통해 인성을 알아볼 수 있다. 규범이나 법규를 잘 지키는 경우와 융통성이 있는 경우로 나누어 볼 수 있다. 어떤 것이 좋다고 말 할 수 없기 때문에 어떤 결정이던지 그 이유가 타당하고 논리적이면 된다.

예시답안

3

- 자전거 전용 도로를 만든다. : 자동차나 사람은 통행할 수 없고 자전거만 다닐 수 있는 도로를 만들어 자전거 사고를 줄이다.
- 자전거 과속 방지봉을 만든다. : 부드러운 재질의 과속 방지봉을 만들어 자전거 1대가 지나갈 수 있을 간격으로 설치한다. 부드러운 재질이므로 천천히 지나갈 때에는 문제가 없지만 빠른 속도로 지나가면 자전거에 충격을 줄 수 있어 자전거가 빠른 속도로 달리지 못하게 한다.
- 자전거 면허증을 발급한다. : 자전거를 타는데 꼭 필요한 교통법규와 자전거 실력을 평가해 통과한 사람만 자전거를 탈 수 있게 면허증을 준다.
- 자전거 보호 용구(헬멧이나 보호대)를 착용하지 않으면 탈 수 없는 자전거를 만든다.

STEP 1 문제 인식

모범답안

1 ① 6, 7, 8, 9

② 1, 2

해설 주어진 조건에 맞는 카드를 빠짐없이 모두 고른다. '5보다 큰 수'의 경우 5는 포함되지 않는다.

모범답안

2 적절하지 않다. 문제를 낸 사람이 '예'와 '아니요'로만 대답할 수 없는 질문이기 때문이다. 또 대부분의 과일은 맛있고 사람마다 맛있다는 기준이 다르므로 적절한 질문이 아니다.

STEP 2 문제 해결

모범답안

1 ①

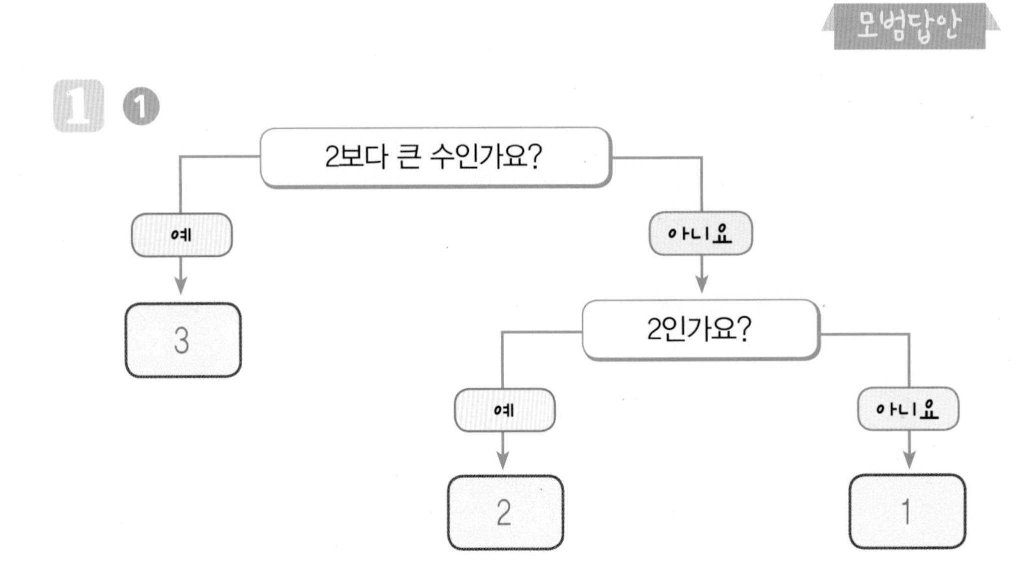

②

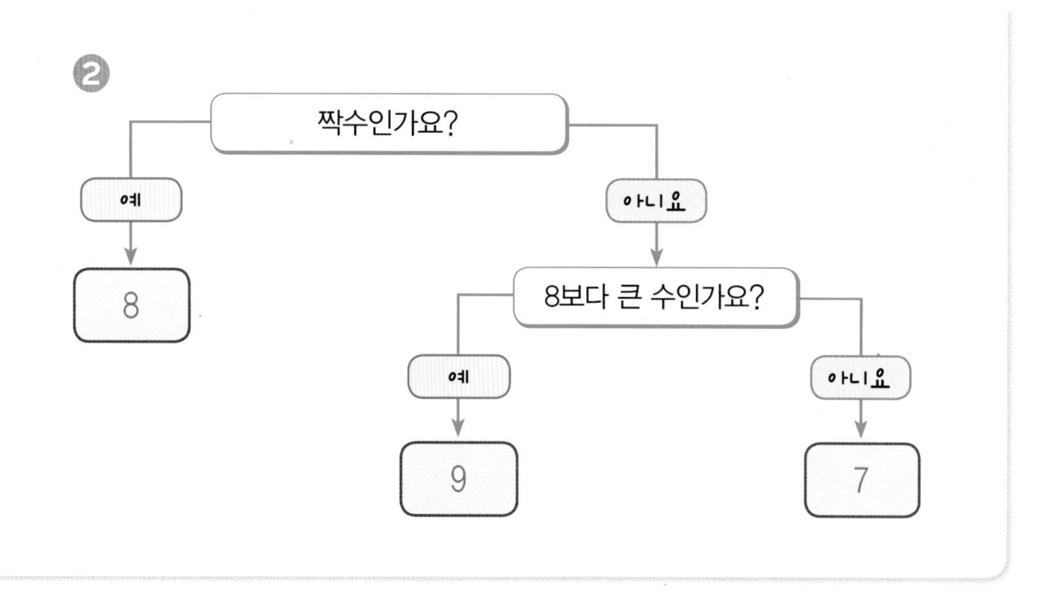

해설 주어진 숫자 카드 중 질문에 만족하는 숫자 카드를 골라 빈칸에 써넣는다. '예', '아니요'에 따라 결과가 달라지므로 잘 구분해야 한다.

예시답안

2 ①

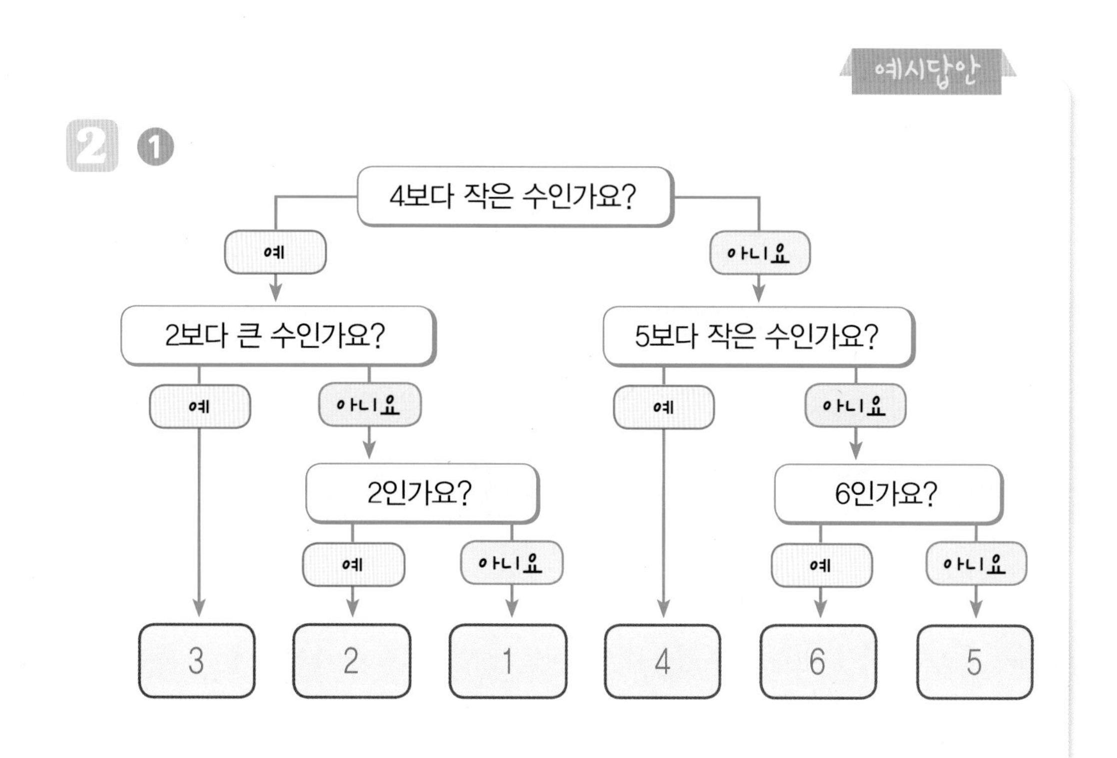

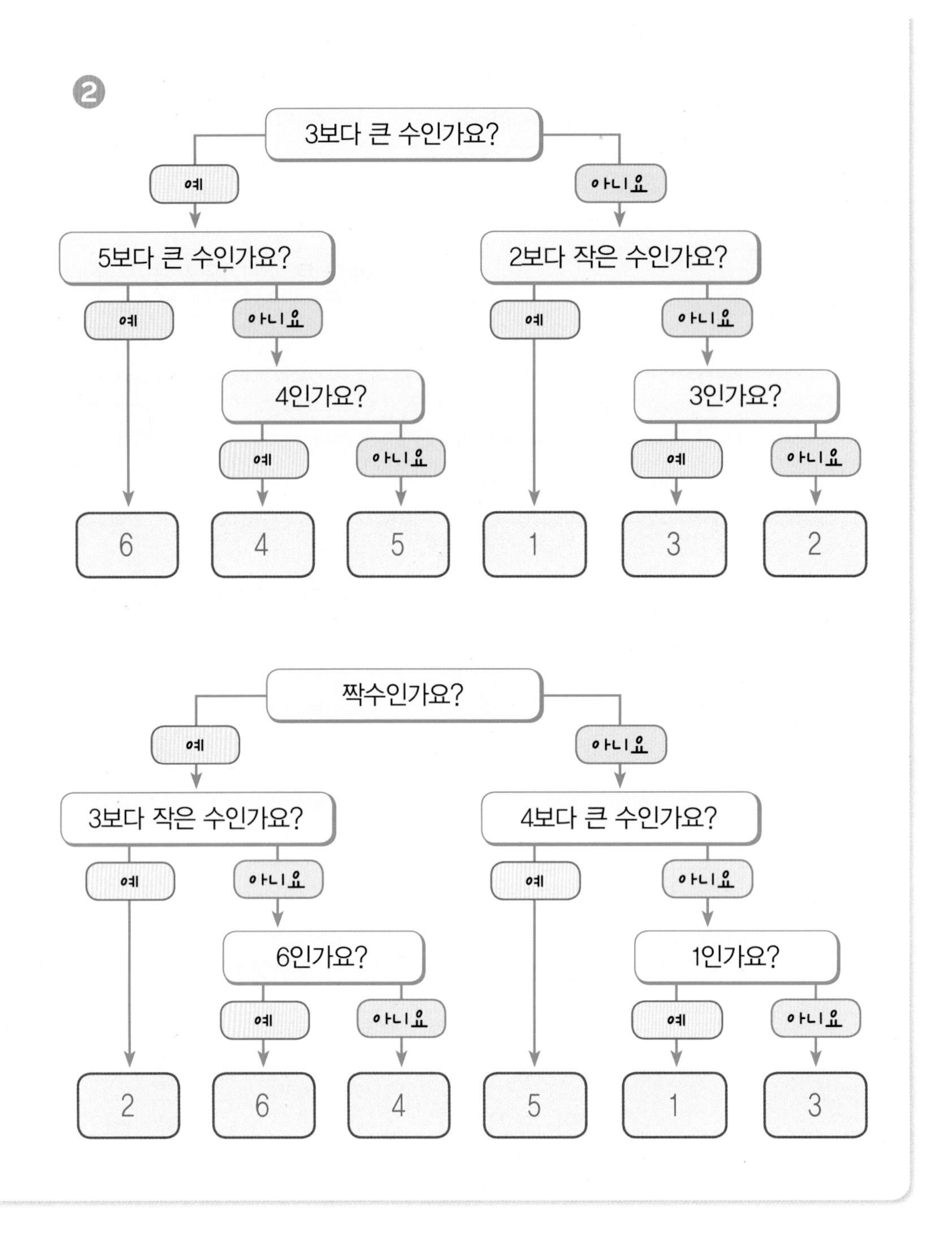

해설 ① 주어진 숫자 카드 중 질문에 만족하는 숫자 카드를 골라 빈칸에 써넣는다. '예', '아니요'에 따라 결과가 달라지므로 잘 구분해야 한다.

② 다양한 답을 만들 수 있다.

STEP 3 융합 사고

모범답안

1

❶

〈방법 2〉가 더 효율적이다. 〈방법 1〉은 숫자가 맞는지 물어보는 방법으로 운이 좋다면 1번 만에 답을 찾을 수 있지만 운이 나쁘다면 숫자 카드의 개수(혹은 숫자 카드의 개수 − 1)만큼 질문을 해야 답을 찾을 수 있다. 〈방법 2〉는 숫자의 범위를 정해 답이 아닌 숫자를 지워 나가는 방법으로 운에 관계없는 논리적이고 효율적인 방법이다.

❷

〈방법 2〉는 숫자 카드 개수의 절반으로 나누어 답이 아닌 카드를 지워 나가는 방법이다. 따라서 숫자 카드의 개수를 절반으로 나누어 카드가 1장이 남도록 만들어 보면

첫 번째 질문 후 남는 카드 : 8장

두 번째 질문 후 남는 카드 : 4장

세 번째 질문 후 남는 카드 : 2장

네 번째 질문 후 남는 카드 : 1장이므로 4번의 질문이면 카드에 적힌 숫자를 알아낼 수 있다.

모범답안

2

비밀 번호의 각 자리 수의 합은 15이며, 둘째 자리 수는 3이고 셋째 자리 수는 5이다.

따라서 첫째 자리 수와 넷째 자리 수의 합은 $15-(3+5)=7$이다.

두 수의 합이 7이 되는 경우는 $1+6$, $2+5$, $3+4$가 있는데 각 자리의 수는 모두 다른 숫자이므로 가능한 것은 $1+6$이다.

가능한 비밀 번호는 1356, 6351이다.

수학7 내 눈이 일으키는 착각

STEP 1 문제 인식

모범답안

1 (나)의 곧은 선이 더 길어 보인다.

해설 바깥쪽에 그려진 원에 의해 같은 길이인 두 곧은 선의 길이가 달라 보이는 착시이다.

모범답안

2
- 자를 이용하여 길이를 측정하여 비교한다.
- 비교하고자 하는 두 선을 직접 포개어 어느 것이 더 긴지 비교한다.
- 기준이 될 만한 다른 물건에 두 물건의 길이를 함께 표시하여 비교한다.

해설 자를 이용하여 길이를 비교하는 방법과 자를 사용하지 않고 비교하는 방법을 각각 찾아본다.

STEP 2 문제 해결

예시답안

1
- 가까운 곳의 기둥은 길고 먼 곳의 기둥은 짧다.
- 가까운 곳의 기둥은 굵고 먼 곳의 기둥은 가늘다.
- 가까운 곳의 기둥은 무늬가 선명하고 먼 곳의 기둥은 무늬가 흐리다.
- 가까운 곳의 기둥은 다른 기둥과 간격이 멀고 먼 곳의 기둥은 다른 기둥과 간격이 가깝다.

해설 원근감을 살려 그린 그림에서 멀고 가까운 기둥을 표현하는 방법을 찾아본다.

모범답안

2 가까이 있는 사물과 멀리 있는 사물의 특징을 살려 우리가 눈으로 직접 보는 것과 같이 그림을 그렸기 때문이다.

해설 평평한 종이 위에 그린 그림이 입체적으로 보이도록 하는 방법을 원근법이라고 한다. 원근법은 그림을 그리는 기법 중의 하나이며 도형과 관련된 수학이기도 하다. 원근법을 표현하는 방법에는 다양한 방법(농도, 길이, 밝기 등)이 있고, 이것은 사람의 눈이 일으키는 착각인 착시로 인하여 가능하다. 우리가 흔히 접하는 트릭아트의 경우에도 우리 눈의 착각인 착시를 이용한다.

모범답안

3

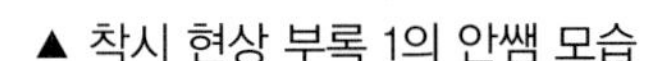

▲ 착시 현상 부록 1의 안쌤 모습

▲ 착시 현상 부록 2의 안쌤 모습

안쌤 캐릭터 뒤에 작은 창문이 있을 때 안쌤이 더 크게 보인다. 창문의 크기가 작으면 창문은 멀리 있는 것처럼 보이고 안쌤은 가까이 있는 것처럼 느껴지기 때문에 안쌤이 더 크게 보인다.

해설 안쌤 캐릭터의 크기와 모양은 같지만 주변 물체의 크기나 색깔, 진하기에 따라 그 크기가 다르게 느껴질 수 있다.

STEP 3 융합 사고

예시답안

1

해설 그림의 가운데 나무의 키는 작지만 그림의 양쪽 끝으로 갈수록 나무의 키가 점점 커진다. 길의 너비도 점점 넓어지게 그려 입체적인 그림의 느낌을 잘 살릴 수 있도록 한다.

예시답안

2

- 키가 작은 친구들과 다니면 키가 큰 것처럼 보인다.
- 뚱뚱한 친구들과 다니면 날씬해 보인다.
- 길이가 짧은 상의를 입으면 다리가 길어 보인다.
- 돌아가는 자동차의 바퀴나 헬리콥터, 선풍기를 보고 있으면 어느 순간 반대로 돌아가는 것처럼 보인다.
- 잔상 효과를 이용해 영화나 TV에서 움직이는 화면을 볼 수 있다.

해설 착시는 사물의 크기, 모양, 색깔 등의 성질과 눈으로 본 것 사이에 차이가 있는 경우이다. 착시에는 도형(길이)에 의한 착시, 원근의 착시와 실제로는 움직이지 않는데 마치 움직이는 것처럼 느껴지는 가현운동이나 빛깔의 대비 등이 있다. 영화처럼 조금씩 다른 사진을 이어서 보여 주면 움직이는 것처럼 보이는 것을 가현 운동이라고 하고, 주위의 밝기나 빛깔에 따라 실제와 다르게 보이는 것을 빛깔의 대비, 배가 고플 때 어떤 그림이나 사진을 음식으로 잘못 보는 시각의 변화 등도 일종의 착시라고 할 수 있다.

예시답안

3 • 장점
–과속방지턱을 만들기 위해 도로를 막거나 공사를 할 필요가 없다.
–비용이 적게 들어간다.
–자동차의 속력을 줄이는 효과가 뛰어나다.

• 단점
–바람에 날아가거나 지워질 수 있다.
–그림을 보고 놀란 운전자가 그림을 피하려다 사고가 날 수도 있다
–실제 방지턱이나 구덩이를 그림인 줄 착각하고 빠르게 지나가다 사고가 날 수 있다.

해설 넛지(nudge)는 '옆구리를 슬쩍 찌르다', '주위를 환기시키다'라는 뜻으로 강요에 의하지 않고 유연하게 개입함으로써 선택을 유도하는 방법이다. '넛지효과'가 주목받는 이유는 큰 비용을 들이지 않으면서도 사람들에게 스스로 원하는 방향으로 선택하게 만들기 때문이다.
넛지 효과의 예는 다음과 같다.

• 네덜란드 암스테르담 스키폴공항 남자 화장실은 소변이 튀지 않는 변기로 유명하다. 스티커 파리 한 마리 덕분이다. 남자들이 소변을 볼 때 하얀 변기 아래쪽 까만 파리를 겨냥하기 때문에 변기 밖으로 튀는 소변 양이 80 %나 줄었다.
• 급식 식당에서 '정크푸드를 먹지 말라'고 금지하는 것보다 몸에 좋은 과일을 눈에 띄는 위치에 배치해 정크푸드의 소비량을 줄이고 과일의 소비량을 늘인다.
• 부산 광안대교 곡선구간에서 사고가 자주 일어난다. 차량의 속도를 줄이기 위해 차로 가운데에 빨간 페인트로 굵은 선을 그었다. 붉은 선을 따라가는 심리를 이용하면 차선 변경을 줄일 수 있어 사고가 줄어든다.

▲ 소변기의 파리

▲ 붉은 차선

엘리베이터 버튼 설계하기

STEP 1 문제 인식

모범답안

1 ① 수가 나열된 규칙은 첫 번째 칸은 1×1, 두 번째 칸은 2×2, 세 번째 칸은 3×3, …의 규칙이므로 빈칸에 들어갈 수는 9와 16이다.

② 수가 나열된 규칙은 앞의 수의 2배가 그 다음 수이다. 빈 칸에 들어갈 수는 8, 16이다.

모범답안

2

13	14	15	16	25
12	11	10	17	24
7	8	9	18	23
6	5	4	19	22
1	2	3	20	21

해설 수가 나열된 규칙은 다음과 같다.

13	14	15	16	25
12	11	10	17	24
7	8	9	18	23
6	5	4	19	22
1	2	3	20	21

STEP 2 문제 해결

예시답안

1. A 아파트 엘리베이터의 층 배열이 원하는 층을 찾는 데 더 편리하다. 층 버튼의 숫자가 위쪽으로 순서대로 나열되어 있으므로 처음 보는 사람도 원하는 층 버튼을 쉽게 찾을 수 있다. B 빌딩은 층 버튼의 숫자가 순서대로 지그재그로 배열되어 있는 규칙을 먼저 찾고 원하는 층 버튼을 찾아야 하므로 시간이 오래 걸린다.

해설 원하는 층 버튼을 누르는 시간과 찾기 편한 정도를 조사한 결과 A 아파트의 방식이 B 빌딩의 방식보다 좋은 평가를 받았다.

예시답안

2.
- 여러 사람이 많이 누르게 되는 층 버튼은 충분히 튼튼해야 한다.
- 층 버튼의 배열이 누구나 쉽게 알아볼 수 있도록 쉬워야 한다.
- 어른과 어린이, 장애인도 쉽게 누를 수 있어야 한다.
- 손으로 누르기에 너무 작지 않고, 버튼이 너무 커 너무 넓은 면을 차지하지 않도록 적당한 크기여야 한다.
- 버튼을 눌렀는지 누르지 않았는지 확실하게 알 수 있어야 한다.
- 어두운 밤에도 잘 보여야 한다.

해설 엘리베이터가 어떤 용도로 사용되며, 어떤 사람들이 얼마나 많이 사용하는지 고려해야 한다. 수많은 사람들이 밤과 낮을 가리지 않고 이용하며, 어린이부터 어른, 장애인까지 다양한 사람들이 엘리베이터를 이용한다. 평소 자신이 엘리베이터를 탔을 때의 경험을 바탕으로 고려해야 할 요소를 찾아본다.

엘리베이터 버튼 설계하기

예시답안

3 ❶

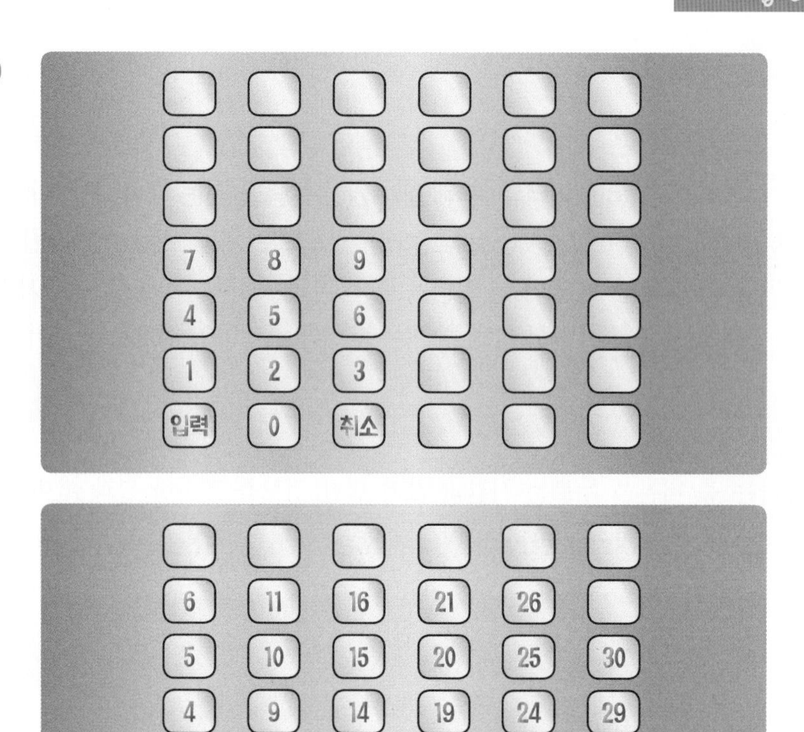

❷

- 전화기와 비슷한 0~9까지의 버튼과 입력, 취소 버튼을 만들고 자신이 가려고 하는 층의 숫자 버튼을 눌러 입력하도록 만든다. 예를 들면 15층을 가려고 할 때, [1] [5] [입력] 버튼을 누른다. 이 방법은 층 버튼을 많이 만들 필요가 없어 재료비와 공간을 아낄 수 있으며 자신이 가고자 하는 층의 버튼을 찾을 필요가 없다.
- 숫자를 순서대로 위쪽으로 배열하여 자신이 가고자 하는 층의 버튼을 쉽게 찾을 수 있도록 한다. 사람들이 가장 많이 누르는 1층 버튼은 따로 배열하여 더욱 더 찾기 쉽도록 배열하였다.

해설 층 버튼을 효율적으로 배열하는 방법을 설명할 수 있고, 층을 입력하는 방법을 새롭게 고안할 수도 있다.

STEP 3 융합 사고

예시답안

1
- 이 건물은 17층으로 이루어진 건물이다.
- 이 건물에 4층은 없다.
- 이 건물은 지하가 없다.
- 이 엘리베이터는 1층에 도착할 예정이다.

해설 과거 건물에는 4층을 알파벳 F로 표현하거나 4층을 표시하지 않는 경우가 많았다. 오늘날에도 많은 병원에서는 4층을 사용하지 않는다. 그 이유는 숫자 4의 소리가 한자의 '죽음(死, 사)'을 의미하는 글자의 소리와 같기 때문이다. 서양에서는 불길한 숫자로 여기는 13층을 다른 글자로 표현하는 경우가 있다.

예시답안

2
- 장점 : 고층건물의 경우 층수가 많아 층 버튼을 많이 만들어야 하고 자신이 원하는 층 버튼을 찾는데 시간이 걸리지만 손으로 써서 입력을 하는 경우 층 버튼을 만들거나 찾을 필요가 없어 편리하다.
- 단점

−손으로 쓴 숫자가 잘 인식 되지 않을 수 있다.
−장갑을 끼거나 터치스크린에 이물질이 묻을 경우 입력이 되지 않을 수 있다.
−층 버튼이 많이 필요 없는 낮은 건물은 층 버튼이 더 편리하며 터치스크린을 설치하는 데 비용이 많이 든다.

해설 편리한 방법이지만 모든 엘리베이터에서 사용되지 못하는 이유를 생각해 본다.

엘리베이터 버튼 설계하기

예시답안

3
- 엘리베이터를 많이 설치한다.
- 엘리베이터의 속도를 더 빠르게 만든다.
- 엘리베이터의 문이 열리고 닫히는 속도를 더 빠르게 한다.
- 엘리베이터의 문이 열려 있는 시간을 짧게 만든다.
- 걸어 다닐 수 있는 2층과 3층에서는 멈추지 않도록 한다.
- 홀수 층과 짝수 층에 멈추는 엘리베이터를 따로 만든다.
- 자신이 가고자 하는 층을 누르면 비슷한 층으로 이동하는 사람들이 같은 엘리베이터를 탈 수 있도록 한다.
- 높은 빌딩의 경우 1층~10층, 10층~20층, 20층~30층과 같이 엘리베이터가 이동하는 구간을 나누어 작동하도록 한다.
- 많은 사람이 한꺼번에 탈 수 있도록 엘리베이터의 크기를 크게 만든다.
- 엘리베이터를 위아래로 여러 개 연결하여 한꺼번에 움직이도록 한다.

해설 만약 같은 층으로 가는 사람끼리 모여 엘리베이터를 탄다면 원하는 층에 빠르게 도착할 수 있다. 가려는 층이 비슷한 사람을 모아 같은 엘리베이터에 타게 하는 것을 목적지선택시스템이라고 한다. 엘리베이터가 모여 있는 복도 입구에서 가려는 층을 입력하면, 시스템은 모든 엘리베이터의 위치와 이미 받은 명령 상태를 비교해 가장 빨리 도착할 수 있는 엘리베이터를 지정해 준다. 그 앞에 가면 비슷한 층으로 가는 사람들이 모여 있게 되는 것이다. 예를 들어 2~3층은 여성관, 4~5층은 영캐주얼 · 스포츠관, 6~7층 영화관, 8~10층 식당가인 건물이 있다고 가정하자. 여성관으로 가는 손님은 B 엘리베이터를, 영화관이나 식당가로 가는 손님은 A나 C 엘리베이터를, 영캐주얼 · 스포츠관으로 가는 손님은 D 엘리베이터와 같이 목적지에 따라 서로 다른 엘리베이터를 사용하면 엘리베이터를 기다리는 시간을 줄일 수 있다. 쌍둥이 엘리베이터는 하나의 수직통로에 2대의 엘리베이터가 따로 움직일 수 있도록 만들었다. 2대의 엘리베이터는 서로 충돌하지 않으며 더 많은 사람들을 실어 나를 수 있으므로 엘리베이터를 기다리는 시간을 줄일 수 있다.

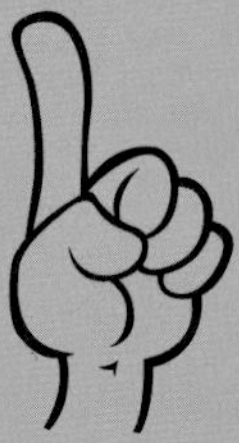

안쌤의
창의적 문제해결력 시리즈

초등 1~2 학년

초등 3~4 학년

초등 5~6 학년

중등 1~2 학년

안쌤의 창의적 문제해결력 시리즈

☑ 초등 1 · 2학년

안쌤의 창의적 문제해결력 수학 1 · 2학년
안쌤의 창의적 문제해결력 과학 1 · 2학년
안쌤의 창의적 문제해결력 파이널 50제 수학 1 · 2학년
안쌤의 창의적 문제해결력 파이널 50제 과학 1 · 2학년
안쌤의 창의적 문제해결력 모의고사 1 · 2학년 (수학 과학 공통)

☑ 초등 3 · 4학년

안쌤의 창의적 문제해결력 수학 3 · 4학년
안쌤의 창의적 문제해결력 과학 3 · 4학년
안쌤의 창의적 문제해결력 파이널 50제 수학 3 · 4학년
안쌤의 창의적 문제해결력 파이널 50제 과학 3 · 4학년
안쌤의 창의적 문제해결력 모의고사 3 · 4학년 (수학 과학 공통)

☑ 초등 5 · 6학년

안쌤의 창의적 문제해결력 수학 5 · 6학년
안쌤의 창의적 문제해결력 과학 5 · 6학년
안쌤의 창의적 문제해결력 파이널 50제 수학 5 · 6학년
안쌤의 창의적 문제해결력 파이널 50제 과학 5 · 6학년
안쌤의 창의적 문제해결력 모의고사 5 · 6학년 (수학 과학 공통)

☑ 중등 1 · 2학년

안쌤의 창의적 문제해결력 파이널 50제 수학 중등 1 · 2학년
안쌤의 창의적 문제해결력 파이널 50제 과학 중등 1 · 2학년
안쌤의 창의적 문제해결력 모의고사 중등 1 · 2학년 (수학 과학 공통)

매스티안

펴낸곳 ㈜타임교육 **펴낸이** 이길호 **지은이** 안재범, 최은화, 이상호, 강미선, 변희원, 신혜진, 유나영
주소 서울특별시 성동구 성수동2가 281-4 푸조비즈타워 5층 **연락처** 02-3480-6626
디자인 ㈜링크커뮤니케이션즈
팩토카페 http://cafe.naver.com/factos
안쌤카페 http://cafe.naver.com/xmrahrrhrhghkr(안쌤 영재교육연구소)